Monica Zak

El niño que vivía con los avestruces

Piedra Santa
EDITORIAL

Título original: Pojken som levde med strutsar
Publicado en sueco por Bokforlaget Opal,
Bromma, Suecia (Box 20113, 161 02), año 2010
Tel. 4682 82179 Fax: 4682 96623

Financiamiento de traducción Svenska Institutet

Primera edición en español para Centroamérica: 2011
Primera reimpresión en español para Centroamérica: 2012
Segunda reimpresión en español para Centroamérica: 2013

Traducción:
*Amalia Valdés, Ana Valdés
y Óscar García*

Ilustración de carátula:
Jan-Åke Winqvist

Diseño y diagramación:
Cuántica. Larisa Mendóza

Coordinación Gráfica:
María Ordóñez Garza

Corrección ortotipográfica:
José Luis Perdomo

Gerente de Desarrollo Editorial:
Fabio García O.

Directora:
Irene Piedra Santa.

2010 © Monica Zak

2011 © para la presente edición
Editorial Piedra Santa
37 Avenida 1-26, zona 7,
PBX: (502) 2422 7676
Ciudad de Guatemala, Guatemala

**Librerías Piedra Santa en
Guatemala:**

Piedra Santa-Educentro
11 calle 6-50 zona 1
Tel: 2204-6600 Fax 2204-6666
educentro@piedrasanta.com
11calle@piedrasanta.com

Piedra Santa 7 Avenida
7 Av. 4-45 zona 1
Tel: 2253-9830 2204-6601
7maavenida@piedrasanta.com

Piedra Santa Géminis
12 calle 1-25 zona 10
Edif. Geminis 2do nivel local
202 y 203.
Tel: 2386-4041 2386-4047
geminis@piedrasanta.com

www.piedrasanta.com

ISBN: 978-9929-562-08-0

Impreso en Guatemala,
Centroamérica

Índice

Huevos de avestruz en la arena

Un cuervo graznó justo en el momento en que los nómadas del desierto desarmaban sus tiendas. El pequeño grupo detuvo sus tareas y se pusieron a escuchar. Un cuervo que grazna por la mañana temprano es mala señal.

Sin embargo decidieron comenzar su viaje a través del desierto; no tenían otro remedio, sus camellos y cabras morían de hambre.

Muchos años después, Fatma, la joven mujer, volvería a pensar en el graznido del cuervo de aquella mañana.

'Tendríamos que haberlo escuchado', pensaba.

'Nunca debimos irnos'.

Pero Fatma no tenía idea en ese momento de que precisamente ese día sería el más desgraciado de su vida. Cuando se marcharon era todavía una madre joven y feliz, no mayor que una niña.

El pequeño grupo, con sus camellos y cabras, comenzó a moverse lentamente por el desierto que se veía ahora de color ocre. Ella iba sentada en un camello que se balanceaba como si fuera una hamaca, con su pequeño hijo de dos años sobre su regazo.

Lo abrazó, le alborotó el cabello y luego le cantó.

Su canto no era precisamente una poesía; sólo eran palabras alegres que brotaban desde su interior y que ella le murmuraba a través de su cabello que olía tan bien.

—Tú eres mi primer hijo, eres mi único hijo.

Tú nombre es Hadara y me llenas de alegría.

Tan grande es mi alegría como el desierto mismo.

Nuestros camellos han enflaquecido,

las pasturas se han terminado.

Ahora buscamos un lugar donde haya agua

y hojas verdes.

Pequeño Hadara, mi único hijo.

Tú eres tan bello

como todas las estrellas del Sahara.

Fatma iba al final. Estaba tan entretenida con sus cantos que no se dio cuenta de que su camello se había rezagado. Algo blanco en la arena hizo que interrumpiera sus cánticos y mirara hacia el costado. Lo que vio la hizo inmensamente feliz. Era un hoyo en la arena, ¡lleno de enormes y amarillentos huevos de avestruz!

—Paren. ¡Deténganse! ¡Encontré huevos de avestruz! —les gritó a los otros.

Pero los otros no la oyeron.

Los huevos estaban allí y brillaban al sol. Seguramente eran diez, quizás quince.

Eso daría comida para todos durante días. Fatma tiró de las riendas e hizo que su camello se detuviera y se agachara. Saltó de la espalda del camello y puso al niño al lado de los huevos. Todavía estaba inmensamente feliz.

Los recogería y sorprendería a los demás. Pero en el momento en que ella se agachó para recoger un huevo sucedió algo terrible, el primer evento que marcaría para siempre ese día nefasto: su camello se escapó y desapareció tras la duna más cercana. Perder un camello es una catástrofe para aquellos que viven en el desierto.

—Quédate sentado —le dijo Fatma al niño—. No tengas miedo. Mamá va a traer de vuelta al camello.

Corrió hacia la duna. Su hijo, el pequeño Hadara, de dos años, estaba sentado todavía al lado de los huevos y movía los brazos mientras su mamá desaparecía tan rápidamente que su túnica negra ondulaba alrededor de ella.

Cuando Fatma comenzó a correr el aire se calmó, pero el viento sólo contuvo el aliento. En un momento, un terrible bramido invadió el desierto.

La primera tormenta de arena del año había llegado.

La tormenta formó una nube de arena que se arrojó sobre ella. Fatma no podía ver nada. La arena la golpeaba como un rebenque. Y por la fuerza del viento, lo único que podía hacer era arrastrarse y tirar de la tela de su túnica para cubrirse la cara y apretarla contra su cuerpo. De todas maneras, la arena se le metía por todas partes y eso la obligaba a mantener los ojos y la boca cerrados.

'Hadara, mi niño —era lo único en lo que ella pensaba—. ¿Cómo estarás? Hadara, mi pequeño Hadara, mi niño'...

Trató de incorporarse para volver con su hijo, pero el viento la tiraba. Hizo varios intentos, pero la tormenta y los latigazos de arena la frenaban.

Parecía que la tormenta duraría una eternidad. Cuando ella hablaba sobre este desgraciado día siempre decía que esa tormenta era la peor que le había tocado vivir, que duró siete días y siete noches y que nunca en su vida había sentido tanta desesperación como aquel día. Cuando la tormenta por fin amainó y pudo destaparse la cabeza y abrir los ojos nuevamente, no reconoció el paisaje.

Todo había cambiado. Las dunas se habían trasladado y en la arena se habían dibujado nuevos diseños.

Del niño no había una sola huella. Fatma aulló de dolor.

Cuando los otros la encontraron, la hallaron dando vueltas y gritando:

—¡Hadara no está! Yo lo senté al lado de los huevos de avestruz. ¡Ahora no lo puedo encontrar!

Mientras lloraba, cavaba desesperadamente con las manos en todas las dunas que veía.

Buscaron durante días. Sólo cuando el agua que ellos habían llevado consigo se terminó, emprendieron la marcha.

No habían encontrado al niño, ni los huevos de avestruz.

nterrado en la arena

Makoo, la avestruz hembra, volvió a donde estaban sus huevos y vio al niño humano sentado allí; un pequeño niño regordete con cabello negro y lacio, con una pequeña y extraña nariz, con su única ropa, una pequeña camisa negra. La avestruz sabía que el peligro estaba en el aire. Igual que el camello, había intuido que la tormenta de arena se avecinaba y buscó refugio; la avestruz sabía que algo iba a pasar.

Makoo vio al niño y pensó que había que protegerlo. Hizo lo mismo que hubiera hecho con sus propios pichones recién nacidos. Abrió las alas y lo cubrió. Enseguida vino Hogg, su marido, y se le pegó. Con sus alas, aún más grandes, los cubrió a ella y al niño.

Cuando la despiadada tormenta se lanzó sobre ellos, los avestruces extendieron sus pescuezos sobre el suelo.

El viento los golpeaba y los remolinos de arena formaban una gruesa manta que cubrió a los tres.

Esto, el niño no lo recordaría.

Tampoco sus padres avestruces se lo contarían.

Cuando el viento hizo una pausa, se sacudieron la gruesa capa de arena que los cubría y miraron al niño con angustia. Él se sentó y comenzó a llorar. Makoo, la avestruz hembra, sufría al escuchar su llanto; sus propios pichones nunca lloraban.

Ella no sabía qué hacer, pero lo empujó con su ancho pico e hizo que se levantara.

El niño se paró de una forma insegura y cuando Makoo comenzó a andar, él no la siguió, como hubiesen hecho sus pichones.

Por eso le pidió a su marido que se tendiera en la tierra; de alguna forma logró poner al niño en su espalda, esperando que fuera lo suficientemente listo para sostenerse cuando su marido se levantara.

Lentamente los dos avestruces comenzaron a salir de la duna con su extraña carga. Ellos sabían que había una roca a unos metros de allí. La roca era su objetivo. Estaban tensos y nerviosos.

¿Podrían llegar hasta allí? La tormenta sólo había hecho una pausa; en cualquier momento se lanzaría sobre ellos nuevamente.

Finalmente alcanzaron la roca negra que en otros tiempos los había protegido.

Una parte de la roca se había desprendido del risco, formando una pequeña cueva. Los tres alcanzaron la entrada justo en el momento en que el rugido de la tormenta comenzaba a cubrir el desierto.

El avestruz macho se tendió haciendo que el niño resbalara suavemente al piso, al abrigo de la cueva. Hasta aquí no llegaba el viento, ni la arena.

—De los huevos, nos podemos olvidar —dijo Makoo a Hogg—. Con el viento soplando tanto, la arena se desperdiga. Nunca los volveremos a encontrar.

—Sí, ya lo sé —respondió Hogg, su marido—. Podemos hacer otros.

—¿Pero qué hacemos con esto —preguntó la hembra—, con el pichón? ¡Parece tan indefenso! ¡Espero que no vuelva a llorar!

La conversación entre Makoo y Hogg era muda; los avestruces no tienen cuerdas vocales, por lo tanto no producen ningún sonido. Sus pensamientos se articulaban en silencio.

Apenas la hembra había terminado de decir "sólo espero que no vuelva a llorar...", el niño comenzó a gritar de forma alarmante. Los avestruces se miraron desconsolados; no tenían ninguna experiencia con gritos de niños.

De repente, el niño se calló. Miraba fijamente algo que se arrastraba hacia él. Algo de un decímetro de largo, negro, que avanzaba.

Era un escorpión que había sido incomodado por indeseables visitas en su propia casa.

Ahora se arrastraba hacia el niño, que se reía. El pequeño animal parecía divertido. Estiró su pequeña y regordeta mano hacia el escorpión; pero este, con la rapidez de un rayo, levantó la cola cargada de veneno. Se disponía a picar a su presa. Pero Makoo fue más rápida. Con su pico, le asestó un golpe mortal.

El niño tomó el escorpión muerto y se lo puso en la boca.

Ese iba a ser el primer recuerdo del niño. Una cueva y un animalito gracioso que se arrastraba hacia él.

Más tarde aprendería a conocer los ocho tipos de escorpiones mortales que habitan en el desierto y aprendería a ser especialmente cuidadoso con ellos.

Pero en sus recuerdos de infancia no había lugar para el miedo, solamente para cosas fascinantes.

¡El animalito era tan gracioso! Su mamá avestruz lo mató y él se lo comió.

Era sabroso. Su primer recuerdo fue feliz.

La tormenta de arena duró mucho tiempo y los avestruces desecharon cualquier idea de encontrar el nido con los huevos. A partir de allí concentraron todas sus energías en el niño. Por las noches desenterraban escarabajos negros de la arena y se los daban a comer. Los alegró ver que el niño tenía buenos dientes y podía masticar bien. También escarbaban la arena que se juntaba en la entrada de la cueva. Allí encontraron unas larvas de color rosado, con las que también lo alimentaban. Las larvas se movían en su lengua y le hacían cosquillas. Así que antes de tragarlas, el niño reía.

Fue en la cueva que la mamá avestruz aprendió que la risa era la diferencia entre un pichón de avestruz y un pichón humano. A ella le gustaba mucho oírlo reír. Y cuando él comía, ella le hacía señas con la cabeza a su marido, encantada. Como toda madre disfrutaba viendo a su hijo alimentarse.

Afuera, la tormenta de arena arreciaba.

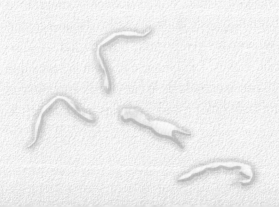

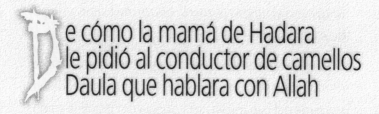e cómo la mamá de Hadara le pidió al conductor de camellos Daula que hablara con Allah

Fatma cabalgaba al final, en la pequeña caravana. Pero esta vez no tenía ningún niño pequeño entre los brazos. Fatma lloraba. ¿Por qué Allah la había castigado de esa manera?

Pero a pesar de que Hadara había desaparecido diez días atrás y que todos en la familia le decían que tenía que comprender que su niño estaba muerto, ella se negaba a creerlo.

Todo el tiempo miraba alrededor mientras su camello se movía lentamente, esperando que Hadara apareciera detrás de una piedra, o de un árbol de acacia. Ella sabía que era imposible; sin embargo no podía dejar de mirar y de tener esperanza.

Finalmente encontraron un lugar con un pozo donde sus camellos y sus cabras bebieron hasta saciarse. También lo hicieron ellos.

Armaron sus carpas, pues decidieron quedarse allí. En ese sitio no sólo había agua sino que había suficiente pasto para sus camellos y sus cabras.

Cuando otro pequeño grupo de nómadas del desierto llegó hasta el mismo pozo, el corazón de Fatma se llenó de esperanza.

El que lideraba este pequeño grupo y el mayor rebaño de camellos, era Daula, un hombre muy admirado en esa parte del Sahara, ya que conocía de camellos como pocos. Pero también era admirado y respetado por algo totalmente distinto; sus oraciones de los viernes.

Todos los nómadas de esta parte del desierto se daban cuenta de que este robusto conductor de camellos tenía una relación muy especial con Allah. Por ese motivo todos los viernes se reunía mucha gente a su alrededor para escuchar sus cánticos y sus oraciones.

Fatma lo encontró de pie, en medio de sus camellos; se trataba de un hombre muy alto, de tez negra, con unas enormes manos.

—Mi marido y el resto de mi familia no tienen idea de que yo he venido a verte. Dicen que no tiene sentido pedirle a Allah para que mi hijo regrese, piensan que no hay más esperanza.

—Allah es muy poderoso y misericordioso —dijo Daula, dándole una palmadita cariñosa al camello en el morro.

Cuando Fatma escuchó esto, se armó de valor y le pidió al hombre que hablara esa noche con Allah, para pedirle que su hijo regresara con vida.

La cara de Daula estaba envuelta en un turbante blanco, sólo sus ojos y su gran nariz se podían ver. Fatma sintió que los ojos de aquel hombre despedían calidez y afabilidad.

Daula la miró y con su voz sonora, le dijo:

—Ven esta noche, que hablaré con Allah.

Cuando la noche cayó sobre el desierto, como un gran manto que lo cubría todo, los nómadas se reunieron alrededor del pozo. Con los arbustos y ramas secas que traían, formaron una gran pila para una fogata. Cuando las ramas comenzaron a arder, Daula se paró, con la cara y los brazos vueltos hacia el cielo y con su potente voz comenzó a gritar:

—¡En el nombre de Allah, el más misericordioso y lleno de gracia!

En el nombre del que fue el principio y será el fin.

En el nombre del que todo lo sabe.

Del que creó el cielo y la tierra en seis días y reina sobre la creación.

¡Con su todopoderosa gloria!

La madre del niño desaparecido estaba sentada en el suelo con su familia, los había hecho sentar lo más cerca posible del fuego y del hombre que oraba, escuchando fervientemente cada palabra que decía.

Él pedía, le gritaba a Allah. El sudor le corría por la cara, era como si hubiera caído en trance.

Fatma comprendió que estaba diciendo partes del Corán. Pero de repente Daula, con la mirada puesta en el cielo cubierto de estrellas, dijo las palabras que ella tanto había esperado:

—Mi Señor, mi amado Señor, yo te pido con todos tus hermosos nombres, que nos muestres una señal que indique que el niño desaparecido durante la tormenta de arena, está vivo.

Yo te pido Todopoderoso, que ayudes a su madre a encontrar su pequeño niño desaparecido.

Fatma lo observaba atentamente. Él había pedido a Allah, una señal. ¿Pero de qué señal se trataría? ¿Sería una señal para ella? ¿O una señal que sólo él podría comprender?

Continuaba pidiendo, orando, hora tras hora. Algunas veces interrumpía sus oraciones y comenzaba a cantar. Mientras él cantaba, las mujeres aplaudían al compás y respondían.

Bastante después de la medianoche, Daula les pidió que cantaran el último cántico.

No se sabía si había recibido o no, alguna señal.

—Mil gracias Señor —cantó Daula.

—Mil gracias —respondieron las mujeres.

—¿Quién creó la luna?

—Allah —respondieron las mujeres.

—¿Quién creó el cielo?

—Allah.

—¿Quién creó la Tierra?

—Eso lo hizo Allah.

—¿Quién me creó a mí?

—Allah

—¿Quién te creó a ti?

—Allah.

—¿Quién creó el mundo?

—Allah.

—Mil gracias, Señor. Mil gracias, Señor.

—Gracias por tenerte, Señor.

La única mujer que no cantó ni palmeó con entusiasmo fue Fatma. Durante la noche no había recibido ninguna señal del cielo que le indicara que su pequeño estaba vivo.

Su esposo se inclinó hacia ella y le dijo al oído:

—¿Te das cuenta que el niño está muerto? Tienes que dejar de esperarlo y dejar de sufrir. Ningún niño puede sobrevivir a una tormenta de arena, mucho menos uno de dos años.

Abandonado a morir

Tres jóvenes avestruces que estaban por poner huevos se juntaron con Makoo, Hogg y el niño. Pero todas querían buscar un lugar nuevo, más seguro. No querían intentarlo de nuevo en aquel fatídico lugar donde sus huevos habían sido sepultados por la tormenta.

Se movían en la noche. La luna llena asomaba lentamente en el desierto cuando iniciaron su marcha hacia un sitio seguro donde pudieran vivir y poner sus huevos.

Otra vez Makoo había logrado poner al niño en la espalda del macho. El niño estaba acostado de bruces y se agarraba de la parte más gruesa de las plumas.

Iban en fila india. Primero Hogg con el niño en la espalda, luego Makoo y por último las tres jóvenes hembras.

Se desplazaban por la cresta de una duna. A lo lejos vieron una fogata y el viento suave les trajo el olor de gente y camellos. Se escuchaban cánticos y aplausos; no tenían idea de lo que pasaba allí. Se asustaron mucho. Hogg apuró el paso para no toparse con la gente.

Pero entonces perdió al niño, que cayó abruptamente al suelo y comenzó a gritar.

—Esto no está bien —dijo Hogg—. Él no sabe nada. No puede caminar, no puede correr. Un pichón de avestruz de su tamaño sería capaz de andar, correr y hasta conseguir su propia comida. Este es retrasado. Tiene un defecto serio.

—Cállate —dijo Makoo enojada—. Échate al suelo.

Y arreó suavemente a Hadara hacia Hogg, que se quedó echado en el piso hasta que el niño se trepó y se agarró con fuerza.

Continuaron su peregrinación. Hogg se quejaba continuamente, pero a Makoo la tenía sin cuidado. Tenía un nuevo pichón y estaba decidida a conservarlo.

Cuando estuvieron lo suficientemente lejos de la gente y los camellos, se tendieron en la arena a dormir, colocándose ella sobre el niño. Ya era una costumbre. Bajo su suave plumón, el niño estaba a gusto. Y se sentía tan bien que se dormía enseguida.

Al amanecer, cuando todos estaban despertando, ella trató de enseñarle a Hadara a comunicarse por medio de sus pensamientos.

—Yo me llamo Makoo. Y soy tu mamá —le dijo.

No obtuvo ninguna respuesta. ¿Y si realmente era retrasado?

Las hembras jóvenes sentían curiosidad por el pichón. No habían visto nada igual en su vida. Se acercaban y lo empujaban. Como todos los avestruces, eran curiosas y lo examinaban; lo olían y lo pellizcaban con el pico. Una lo mordió en la oreja, la otra en sus pequeñas manos. Tan pronto le hicieron eso, Hadara comenzó a hacer pucheros y se largó a llorar.

Makoo sentía el llanto del niño como pequeños cuchillos que se clavaban en su interior. Reunió a su esposo y a las jóvenes avestruces y los reprendió severamente:

—¿No se dan cuenta que al niño le da miedo? Ustedes no pueden en ninguna circunstancia pellizcarlo. Tienen que hacer lo que yo hago, acariciarlo con el pico. A él le gusta eso.

Makoo se inclinó sobre el niño y movió su pico para delante y para atrás sobre el regordete brazo de Hadara, que dejó de llorar. El niño le sonrió a Makoo, quien se acomodó y miró al resto con aire triunfal.

—Así tienen que hacer. —Y añadió amenazante—: Si alguien lo vuelve a molestar, se las tendrán que ver conmigo.

El grupo de avestruces siguió su camino. Atrás quedaron las ondulantes dunas amarillas. Ahora se adentraron en un lugar totalmente llano, cubierto por una arena gris y con alguna que otra piedra negra. El avestruz macho seguía su camino con un objetivo claro:

encontrar un sitio donde poder vivir tranquilamente con suficiente comida.

Como el paso de Hadara era lento, la marcha de todos se hacía lenta.

Pero no bien Hogg se quejaba, Makoo le respondía:

—Tú conoces perfectamente las leyes de los avestruces; uno tiene que ir al paso de los más lentos. Habrás observado que el niño cada día anda mejor. Dentro de poco tiempo ya no necesitará más ayuda y podrá valerse por sus propios medios.

Hogg sólo simulaba estar de acuerdo con su mujer. Estaba firmemente decidido a deshacerse de esa carga inútil.

La oportunidad se presentó unos días más tarde. Las hembras salieron a buscar hojas verdes para comer y ver si había algún manantial de agua en las cercanías. Hogg quedó con la tarea de cuidar al niño y alimentarlo con larvas que tendría que desenterrar. Cosa que por supuesto no hizo.

Las hembras se demoraron y el calor abrasador del desierto cayó despiadadamente sobre Hogg y el niño. Era uno de esos días infinitamente claros donde los espejismos resplandecen en el desierto.

Estaban en un terreno llano y pelado. Pero, de repente, parecía estar cubierto de una reluciente agua de color azul claro. El niño debía tener algún recuerdo de cuando juntaban agua, porque cuando vio el agua cristalina, se levantó y empezó a tambalear hacia el lago azul. Estaba tan sediento que tenía dificultades para tragar. Extrañaba el agua, pero el espejismo se corría todo el tiempo. La brillante y cristalina agua siempre estaba un poco más adelante que él. La sed hizo que el niño comenzara a chuparse el pulgar y siguiera caminando tambaleante hacia eso que debería ser agua. Pero como el agua se corría todo el tiempo, comenzó a perseguirla corriendo.

Hogg estaba parado y lo observaba atentamente.

Miró al niño caminar tambaleante.

Miró al niño correr.

Miró al niño desplomarse. La muerte no tardaría en llegar. De eso estaba seguro.

El pequeño levantó la mirada y vio la arena gris y el cielo ardiente. El cielo ardiente y la arena gris. El agua ya había desaparecido. Nuevamente se puso el dedo en la boca y lo chupó intensamente. Pero esto ya no lo ayudaba. La sed era insoportable. Entrecerró los ojos y quedó inmóvil en el suelo, ya no tenía fuerzas ni siquiera para chupar. Por eso no vio al buitre que se acercaba y volaba en círculo encima de él. El buitre daba vueltas y vueltas. La enorme ave esperaba a que su presa estuviera muerta antes de comenzar a comérsela.

Hogg vio al niño que yacía inmóvil sobre la arena gris y vio también el buitre dando vueltas. Entonces volvió la espalda y comenzó a correr con pasos largos y ágiles.

Se sentía más aliviado. Finalmente todo volvería a ser como antes.

La víbora venenosa

Makoo, la avestruz hembra, corrió hacia el lugar donde estaban su marido y el niño. Pensaba en cómo lo llamaría. Lo pensaba desde que lo encontró en la arena, pero ningún nombre la convencía.

Tendría que ser un nombre bonito.

Los nombres bailaban en su cabeza mientras corría: Majid, Othmane, Kathri, o Hassan. Hassan estaba bien. Le pediría consejo a Hogg, que también podría opinar.

Corría rápido y con agilidad. Después del guepardo, el avestruz era el animal más veloz del desierto.

Su vista también era muy buena. Mientras corría movía su cabeza de un lado a otro, por simple costumbre, no porque sintiera que corría algún peligro. No había ningún chacal o león del Atlas, tampoco guepardos.

Pero la vigilancia no le quitaba su felicidad. A medida que se acercaba al lugar donde había dejado a Hogg y al niño, su corazón se aceleraba. Experimentaba la misma felicidad que cuando se acercaba al nido donde estaban sus propios pichones.

Corría con grandes zancadas en un terreno plagado de espejismos. Pero ella no los tomaba en cuenta. Los espejismos se representaban como brillantes charcos de agua cristalina. Pero como los otros animales del desierto, sabía que no había agua alguna.

De repente algo atrapó su atención. Era un siniestro buitre que volaba en círculos, en círculos cada vez más rápidos. Era sabido que cuando un buitre volaba de esa manera era porque estaba esperando la muerte de su presa.

Entonces vio algo negro en la arena. Algo negro e inmóvil.

Makoo corrió horrorizada hacia allá. Era el niño humano.

Era su niño.

Yacía con la cara contra el suelo, inmóvil. Ella jadeaba y lo pinchaba con el pico. Luego empujó el cuerpo del niño con una pata y logró que este rodara. Con una de sus alas le hizo cosquillas en su cara. Entonces lentamente comenzó a moverse; primero abrió un poco los párpados, luego comenzó a abrir y cerrar la boca y por último alzó una mano y se metió el pulgar en la boca.

Tan grande era el terror de Makoo después de lo sucedido, que no podía recordar muy bien lo que pasó. Sus imágenes no eran muy claras. Se tendió y logró que el niño se trepara a su espalda. Luego, con mucho cuidado para que no se resbalara, lo llevó junto al manantial que había encontrado. Allí, se tendió nuevamente para que el niño bajara y lo empujó hacia el agua. Quedó acostado boca abajo como un muerto; luego lo vio moverse un poco y arrastrarse hacia el pozo. Sumergió sus manos y su cabeza en el agua.

Sólo tendría que sostener su cabeza en la superficie para no hundirse. Eso le había pasado a varios de sus pichones; estaban tan débiles por la falta de agua, que cuando la encontraron se ahogaron.

Pero el niño tenía la cabeza alta y acercaba la boca al agua. Bebió y bebió y bebió como nunca antes lo había hecho.

Este sería el segundo recuerdo del niño. Toda su vida recordaría el momento en que su mamá lo despertó haciéndole cosquillas con una de sus alas. La próxima imagen que recordaría era de cuando estaba tendido boca abajo con las manos en el agua, bebiendo. Nunca había bebido algo tan delicioso.

Makoo mandó a las jóvenes avestruces a buscar a su esposo. Él simuló no ver al chico y se dirigió directamente al manantial. Allí estuvo varios minutos bebiendo. Makoo mostró su indignación elevando las plumas de la cola y siseando.

Para liberarse de su rabia, emprendió camino. Estaba desilusionado. El niño todavía estaba allí. Cuando encontrara un lugar para vivir, ella se apaciguaría. Luego ellos se aparearían, pondrían huevos, tendrían pichones nuevos y ¡entonces ella se olvidaría de ese inservible pichón humano! ¡Ese monstruo que apenas podía caminar! ¡No merecía vivir!

En las cercanías del manantial había abundante vegetación, de un verde intenso. Las jóvenes hembras pastaron con entusiasmo. Makoo picoteó un poco de comida pero no tenía ganas de comer. Quería intentar nuevamente tomar contacto con el niño, que estaba acostado al lado del manantial. Se tendió a su lado; necesitaba concentrarse y lograr que sus pensamientos fueran muy claros.

—Yo me llamo Makoo —le dijo—. Y soy tu mamá.

—Yo me llamo Hadara —contestó el niño de una forma clara.

Igual que los pichones de avestruz, el niño no movía la boca para hablar, ni emitía ningún sonido. La respuesta la enviaba con sus pensamientos.

—Hadara, Hadara —dijo Makoo—. Es un bello nombre. Yo pensaba llamarte Hassan, pero Hadara es más bonito.

El avestruz macho buscó hasta encontrar un lugar adecuado para vivir. Era un pequeño montículo protegido por dos arbustos. Se echó y con su cuerpo hizo un agujero, un gran agujero en la arena. Sus colores demostraban que estaba listo para aparearse. Un color rojo carmesí asomaba en sus patas, en su pescuezo y en su cabeza.

Finalmente volvió muy inquieto. El pichón dormía. Para suavizar a Makoo, le dijo:

—Veo que está durmiendo. ¿Quieres acompañarme? Tengo algo que mostrarte.

Makoo no pudo evitar mirar el color rojo del macho y que se había acicalado para ella. Miró con cierto sentimiento de culpa al niño, que ahora sabía que se llamaba Hadara. Estaba durmiendo protegido bajo la sombra de un árbol. Su sueño era profundo.

De mala gana Makoo acompañó a su esposo. Él la condujo hasta el nido que había construido, se tendió en el agujero y movió las alas. El nido estaba bien. Y la ansiedad de tener nuevos pichones hizo que ella olvidara su rabia y se apareó con Hogg. Era la tercera vez que lo hacía.

Cuando los huevos comenzaron a salir, ella los colocó en el hoyo. Desde ahora pondría un huevo cada tres días y tendría que estar sobre ellos, todos los días, durante meses.

Makoo estaba nerviosa.

¿Qué pasaría con Hadara ahora que ella estaba incubando?

Hasta ahora era ella quien lo había ayudado a conseguir su comida; larvas, escarabajos, hierbas verdes, raíces y de vez en cuando algún escorpión.

¿Se las arreglaría solo?

Con Hogg no se podía contar. Ya había demostrado claramente su rechazo por el niño.

Cada vez que ponía un nuevo huevo, se sentía feliz. Sin embargo, su preocupación por Hadara crecía.

Durante el día, cuando Makoo estaba empollando los huevos, controlaba que el niño estuviera cerca del nido. En la noche era Hogg quien los empollaba. Entonces ella desplegaba sus alas sobre Hadara para protegerlo de las mortales heladas nocturnas.

Tres hechos cambiarían la vida de Hadara.

El primero tuvo lugar cuando Makoo se levantó, como lo solía hacer todos los días, dejando los huevos solos por un momento para buscar comida. Hadara estaba sentado al lado del nido. Tan rápido como el avestruz hembra desapareció, aparecieron en el nido una bandada de buitres egipcios.

Eran los peores enemigos de los avestruces porque se comen sus huevos.

Los buitres egipcios no podían agujerear las cáscaras de los huevos con sus picos, pero habían encontrado un método letal para llegar al exquisito manjar que resguardaban las cáscaras. Hadara miraba sin comprender lo que estaba pasando. Un buitre voló bajo y tomó una piedra con el pico; luego alzó el vuelo y la dejó caer sobre los huevos. La piedra alcanzó uno de los huevos y le hizo un agujero. El buitre se precipitó sobre el huevo, se sentó arriba y comenzó a sorber el contenido.

El resto de los buitres fue planeando uno a uno y se ubicó alrededor del huevo, observando atentamente al que estaba comiendo esa exquisitez.

Todo esto pasaba sin que Hadara comprendiera nada. Pero cuando él levantó un poco sus brazos, los buitres levantaron vuelo aleteando con rabia sus alas.

Los buitres no volvieron.

Otro día, cuando Makoo volvió a irse, uno de los raros guepardos del Sahara se deslizó hasta ahí. El guepardo sintió el olor sabroso del huevo y lo golpeó con sus garras, pero no se rompía. Intentó ponérselo en la boca y partirlo con sus dientes, pero el huevo era demasiado grande. Entonces el animal comenzó a hacerlo rodar para adelante y para atrás con sus garras, intentando que este se partiese.

Hadara se levantó y caminó hacia él. En honor a la verdad, no lo hizo para salvar al huevo sino para jugar con el guepardo. Pero cuando lo hizo, el guepardo huyó despavorido y desapareció en el desierto con grandes brincos.

El tercer acontecimiento sucedió cuando los primeros huevos empollaron, y fue tan importante que cambió el rango que Hadara tenía en la manada. Esta era la época más peligrosa. La mayoría de los pichones recién nacidos casi siempre morían asesinados. Uno de los enemigos más temibles eran los cuervos. Una nube de cuervos bajó y se instaló alrededor de los recién nacidos. Entonces Hadara se levantó, movió sus brazos e hizo que los cuervos se fueran. Era divertido. Una vez vio que los cuervos continuaban su vuelo, el niño siguió agitando sus brazos disfrutando por haberlos espantado.

El avestruz macho había visto los tres sucesos.

Un día, cuando el último huevo estaba por abrirse y Hadara como siempre estaba cerca del nido, Hogg, el avestruz macho, vio a una víbora cornuda. Hogg y todos los animales del desierto sabían que esta víbora era la más venenosa y peligrosa del desierto. Se arrastraba sobre la arena hacia Hadara. Se movía de costado, como suelen hacer este tipo de víboras. Hadara se reía y se levantó para ir a su encuentro. La quería levantar para jugar con ella, pero tan pronto se acercó, la víbora se enterró en la arena y desapareció. Como todas las cornudas, desaparecen de la superficie, pero cuando se sienten seguras sacan su cola puntiaguda a través de la arena y la mueven. De esta forma atraen a los lagartos.

Hadara vio aparecer su cola en la arena y comenzó a arrastrarse hacia eso tan divertido que se movía. Cuando llegó hasta el lugar, agarró su puntiaguda cola. Entonces apareció el resto de la víbora, sobre la arena. Se dobló para juntar fuerzas y se preparó para clavar sus pequeños y venenosos dientes sobre el niño.

Hogg vio todo.

Dio unos grandes pasos hacia los dos y de un solo picotazo, mató a la víbora.

Cuando comprobó que efectivamente la víbora estaba muerta, siguió su camino.

Regresó con una planta de hojas gruesas. Sin decir nada, se la puso enfrente al niño y se quedó viendo cómo él comía.

l hijo predilecto

Desde ese momento, Hadara era uno más del grupo de avestruces. Cuando ellos se trasladaban por el desierto, Hogg siempre iba primero.

Luego venía Hadara.

En tercer lugar siempre venía Makoo, la avestruz hembra.

El niño aprendió rápidamente a andar y poco a poco, también aprendió a correr.

Cuando la fila de avestruces se cambiaba de lugar, ellos siempre adaptaban su paso al más lento de la fila, que era Hadara.

Ya ni siquiera Hogg se mostraba irritado. Con el tiempo vio muchas ventajas en mantener al pichón humano con ellos, a pesar de que causaba muchas dificultades y era muy malo para correr.

En las noches era Hogg el que desplegaba sus alas sobre el niño para mantenerlo abrigado. En algunos momentos del año el calor era insoportable durante el día y por la noche lo era el frío. Pero gracias a sus papás avestruces, el niño nunca pasó frío.

Hadara, el pichón humano, continuó aleteando sus brazos y espantando a los cuervos y a los buitres apenas aparecían y se acercaban al nido donde estaban los pichones.

Le gustaba mucho ver a los pájaros volar.

Hogg había descubierto algo extraño en el nuevo integrante del grupo. Los avestruces, cuando llegan a un manantial de agua, son muy cuidadosos; dejan siempre a los otros animales beber primero, inclusive a las cornejas y a los cuervos. Pero cuando el pequeño Hadara iba con ellos, todos los animales se hacían a un lado y dejaban que los avestruces bebieran primero.

Makoo lo observaba detenidamente. Ella se ponía feliz cuando él la imitaba e imitaba a sus pichones. Cuanto más se parecía a un verdadero avestruz, más contenta se ponía. Ella y los otros avestruces comían pequeñas piedras. Las piedras las conservaban en el estómago y les servían para triturar los alimentos. Cuando sus propios pichones apenas habían salido del cascarón, rápidamente comenzaron a conseguirse su propia comida y engullían pequeñas piedras.

Así lo observó Hadara y de tanto en tanto también comía pequeñas piedras. Esto hacía que Makoo se sintiera muy feliz. Pero Makoo también observaba que Hadara expulsaba las piedras con la caca, lo que la preocupaba bastante. Así no lo hacía un verdadero avestruz. Los avestruces conservan las piedras en el estómago hasta que se deshacen. Luego tienen que volver a ingerir nuevas piedras. Sin embargo, aparentemente Hadara no se sentía mal, a pesar de que él expulsaba las pequeñas piedras que había comido.

De todas maneras, la gran diferencia entre Hadara y los avestruces era su sed. Tanto los avestruces grandes como los pequeños se las arreglaban varios días sin agua. Además tenían plumas en el cuerpo. Por otro lado, cuando el pequeño se exponía al terrible sol del desierto, sin nada que cubriera su cuerpo, se cansaba mucho y tenía mucha sed. En esos momentos se sentaba y se ponía el pulgar en la boca. No tenía fuerzas para seguir. Cuando Hadara estaba realmente sediento, lloraba en silencio. Sus lágrimas corrían por sus mejillas. Esos momentos eran terribles para Makoo. Ella se acercaba y con sus plumas más suaves le trataba de secar el agua salada que salía de los ojos del muchacho. Tanto ella como Hogg se habían dado cuenta que un niño tenía que beber mucho más a menudo que los avestruces. Por esa razón, ellos siempre estaban cerca de algún pozo de agua a pesar de que era peligroso. Allí también llegan los chacales y a veces los guepardos y los leones para beber.

Durante el primer año que Hadara pasó con la manada, los avestruces se mantenían cerca de los raros manantiales del desierto y cada tres días lo llevaban a un manantial para que saciara su sed.

Makoo le enseñó algo importante; a reconocer las hojas de los arbustos que contenían más líquido. Asimismo, ella sabía que las larvas, los gusanos, los escarabajos y hasta los escorpiones, fortalecían a los pequeños pichones. Al principio era ella quien le desenterraba los animalitos, pero después de un tiempo él mismo lo hacía, como sus propios pichones.

Ella era muy estricta con la siesta. Hadara era más juguetón que sus propios pichones. Sin embargo, tuvo que adaptarse. Logró que Hadara descansara a la sombra, con el resto de los pichones, durante las horas más ardientes del día.

Hogg y Makoo acostumbraban a hablar mucho sobre el pichón humano y de cómo se notaba que él no era realmente un verdadero avestruz.

Muchas de las cosas que hacía eran inexplicables para ellos; juntaba palitos y dibujaba cosas extrañas en la arena; incluso cuando la manada se mudaba él los llevaba consigo. No comía todas las piedras que encontraba, sino que las ponía formando figuras en la arena y jugaba con ellas. Si encontraba una duna, subía hasta la cima para luego tirarse rodando. Ninguno de sus pichones hacía eso. Y luego, se escondía y quería que los pichones lo encontrasen; sólo a él le parecía divertido.

Pero lo más extraño era que seguía siendo un pichón. No crecía.

A los ocho meses de edad sus pichones ya eran adultos y tan grandes como sus padres. Por lo tanto eran absolutamente capaces de valerse por sí mismos. Pero ese no era el caso de su pichón humano.

A esa edad Makoo y Hogg echaron a sus pichones. No era fácil para sus padres, pero era la ley de la vida. Ellos tenían que hacer su propia vida y formar su propia familia.

Pero Hadara era diferente. Todavía era un pichón; se movía lentamente y luego de un año con los avestruces tenían que seguirlo esperando, pues era mucho más lento que los demás. ¿Podría algún día correr tan rápido como un avestruz?

Sin duda era una gran cosa que el muchacho tenía en contra.

Pero gracias a él habían logrado algo único: habían asustado a sus enemigos. Por primera vez en sus vidas todos sus pichones habían sobrevivido.

Por esa razón decidieron que nunca se desprenderían del muchacho. Viviría siempre con ellos.

Se preocuparían de que estuviera siempre cerca de sus pichones. Bueno, en realidad también él era uno de sus pichones.

Era, sin dudas, su hijo favorito. Y por eso nunca lo abandonarían.

Y así fue.

Hadara se quedó con los avestruces.

Y cuando se encontraban con otros avestruces, siempre decían: es cierto, corre más lentamente que los otros, pero de todas maneras es nuestro hijo predilecto.

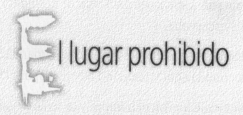l lugar prohibido

Algunas mañanas eran especiales. El sol se levantaba sobre el horizonte y el aire gélido de la noche se volvía agradablemente templado.

Esas mañanas los avestruces se sentían especialmente felices. Ya hacía diez años que Hadara vivía con ellos. Algunas veces, no entendía sus actitudes. Ese día Hogg se levantó, se sacudió y corrió a una velocidad increíble por el desierto.

Los otros lo miraban intrigados y esperaban que se detuviera. Y lo hizo, con una vuelta que formó un remolino en la arena; luego levantó sus alas y comenzó a dar vueltas y más vueltas como un bailarín de ballet. Makoo se levantó e hizo lo mismo. También lo hicieron los jóvenes avestruces. Se unieron a esa maravillosa y feliz danza en esa mañana luminosa.

Hadara fue el último en levantarse, pero también comenzó a correr hacia su familia avestruz. Cuando alcanzó al grupo, alzó los brazos aleteando con ellos y dando vueltas alrededor como el resto.

Después de la danza todos estaban hambrientos. Así que salieron a escarbar para buscar comida. Pero la comida escaseaba.

Finalmente Hogg sentenció: hoy nos mudamos. Ya no queda comida aquí y tampoco hay agua para Hadara.

Posiblemente fueron el hambre y la sed los que llevaron a Hogg a cometer el error.

Había un lugar en el desierto que tanto Makoo como Hogg se prometieron nunca visitar. Era un lugar prohibido. Pero movidos por el hambre y la sed, el grupo de avestruces trotó rápidamente hacia allá. Corrían como siempre formando una larga fila. Primero iba Hogg, luego le seguía Hadara, un muchacho de doce años, musculoso y bronceado, de cabello negro, largo y lacio que ondeaba en el viento cuando corría.

Luego, le seguía Makoo y los jóvenes avestruces.

Fue Makoo la que bautizó El lugar prohibido a aquél donde se habían prometido jamás regresar. Allí, diez años atrás, habían encontrado a Hadara.

Era allí donde una joven mujer había perdido a su hijo durante una tormenta de arena. Makoo sabía que Hadara no era su hijo verdadero y sabía también que no era un auténtico avestruz. Pero nunca le había contado la verdad al muchacho.

Corrieron por un desierto absolutamente llano, cubierto de piedras negras, planas y lisas. No había ninguna planta para comer. Por eso apuraron el paso, para salir de ahí.

Pero Makoo detuvo su marcha, bajó la cabeza y miró detenidamente cada piedra. Por fin encontró lo que buscaba.

—Mira —le dijo a Hadara—. Aquí están nuestros antepasados.

Dibujada, en una piedra plana, estaba la imagen de un avestruz corriendo.

—Pero ¿quién ha hecho esto? ¿Cómo llegó esta imagen hasta aquí?

Makoo y los demás avestruces no contestaron. Pero Hadara sintió en ese momento que quien había grabado la piedra era diferente. Tal vez alguien como él, que tenía manos en lugar de alas. Porque también cuando él no tenía nada que hacer, tomaba un palito y se ponía a dibujar: dibujaba avestruces, o árboles, o pequeños pájaros. Pero más que nada, dibujaba avestruces.

Tiene que haber sido alguien con manos el que dibujó esto, señaló Hadara a los otros avestruces.

Pero nadie comentó lo que él había dicho. Lo único que dijo Hogg fue:

—Nos tenemos que apurar. Cuanto antes pasemos el desierto de piedra, mejor.

Apuró el paso y los demás lo siguieron. Así fue como llegaron hasta El lugar prohibido.

Sobre el terreno llano irrumpían unas altísimas dunas de un color amarillo oro, donde el viento había creado dibujos extraños y bonitos. Por una sola vez Hadara abandonó el grupo y corrió hacia las dunas. La arena estaba blanda y tibia. Trepó hasta la cima. Desde lo alto, levantó los brazos hacia el cielo de un color azul fuerte y se lanzó hacia abajo, resbalando por la duna boca abajo.

Abajo, los avestruces lo miraban. No les gustaba nada lo que el chico hacía, ya que no estaban acostumbrados a jugar. Hadara trepó la duna una vez más. Sus pies se hundían en la arena blanda. Nunca antes había visto una arena tan suave y amigable. Sus pies desnudos se deslizaban en la arena sin tener dónde agarrarse. Cuando llegó a la cima, divisó muchas montañas de arena y afiladas crestas de arena ondeando en infinitas filas.

Sobre Hadara estaba el cielo, de un azul intenso y sólo por una vez pudo ver en el cielo pequeñas y blancas nubes de algodón. Mientras estaba allá arriba, sintió que algo se movía en su interior. Un recuerdo quería salir, un recuerdo cálido y al mismo tiempo triste.

Una inesperada ventisca levantó la suave y amarilla arena, y por un momento, sólo por un momento, se vio envuelto en una nube de arena de color dorado.

Entonces sintió un inexplicable dolor.

Hadara se acurrucó y su cuerpo comenzó a temblar. No entendía por qué. ¿Estaba por enfermarse? Su cuerpo se sacudía de una forma que no podía controlar.

Abajo, los avestruces lo miraban con sus pescuezos estirados.

Cuando todo había terminado, Hadara se levantó y se deslizó hacia abajo. Ya no se sentía feliz jugando. En su cabeza daba vueltas un nombre, Fatma, a pesar de que no entendía el significado de la palabra. En la falda de la duna había pequeñas piedras, huesos y algo que no reconoció. Era una pulsera de metal dorada, pero eso él no lo sabía. Tomó esa cosa redonda en su mano; un inexplicable calor salía de su interior y de alguna manera se relacionaba con el nombre que daba vueltas en su cabeza. Se llevó consigo el brazalete por el resto del día.

—Dame eso —le dijo su mamá avestruz—. Esa cosa, sea lo que sea, me doy cuenta que te pone triste.

—No, quiero quedarme con ella —refunfuñó Hadara.

Giró la pulsera, le dio vuelta, la mordió y finalmente introdujo su mano en ella. Le quedaba colgando.

Makoo se culpaba. Comprendió lo que pasaba: Hadara había recordado algo que lo puso triste.

Había sido un gran error pasar por el lugar donde los humanos habían perdido su niño y ellos lo habían recogido. A partir de ese día él se había convertido en su hijo.

Cuando ellos se fueron a acostar, Makoo le repitió varias veces:

—Yo soy tu mamá.

Hadara no entendía por qué ella decía cosas tan tontas. Estaba claro que ella era su mamá.

El sol se escondió detrás de las dunas. Las estrellas comenzaron a asomar y la helada se arrastraba lentamente. Tan pronto Makoo se dio cuenta que Hadara tenía frío, puso sus suaves alas encima de él.

Cuando comprobó que Hadara se había dormido profundamente se levantó, sacó la pulsera del brazo del chico con el pico y la llevó al otro lado de una roca. Allá la enterró en la arena.

in agua

Hadara se despertó sobresaltado y se tocó el brazo. La pulsera ya no estaba.

—¿Dónde está mi cosa redonda?

—¿Qué cosa redonda?

—Esa que yo encontré ayer y que luego me puse en el brazo.

—No tengo idea. Seguramente la habrás perdido.

—La tenía cuando me fui a acostar.

Para felicidad de Makoo, el líder del grupo interrumpió la conversación y les pidió que apuraran el paso. Él y su esposa habían decidido alejarse del lugar prohibido lo antes posible.

—Vamos a seguir de largo —les indicó Hogg—. No conocemos el camino, es mejor movernos rápido ya que no sabemos dónde podremos encontrar plantas y agua.

El pequeño grupo se puso en movimiento. Luego de que los avestruces grandes abandonaron el grupo, sólo quedaban cinco avestruces y el muchacho.

Corrían con pasos ligeros y flexibles. Primero iba Hogg, más atrás Hadara, el hijo favorito, el hijo del cual nunca se desprenderían. Como siempre que corrían, de tanto en tanto Hogg miraba hacia atrás para comprobar que Hadara no estuviera muy cansado.

Si esto sucedía, aminoraban la marcha.

Normalmente, a Hadara le gustaba mucho correr de mañana temprano, cuando apenas estaba amaneciendo y todavía estaba fresco. Entonces podía correr tan rápido como los avestruces, tanto que podía sentir el viento jugando con su pelo.

Pero esta mañana era diferente, no sentía ningún placer en correr. Tenía muchas cosas en las que pensar. ¿Cómo pudo desaparecer esa cosa redonda? Le gustaba mucho y la quería volver a tener. ¿Y qué fue lo que pasó ayer, en la duna? Él nunca había vivido nada igual. Hadara se había sentido inexplicablemente feliz e inexplicablemente triste al mismo tiempo.

Cuando Hadara vio que Hogg se daba vuelta para mirarlo, apuró el paso. No estaba cansado. Todavía no. Mientras corría con pasos largos, parejos y flexibles, una melodía le daba vueltas en su cabeza. No escuchaba ninguna letra, sólo una melodía. Y esa palabra tan extraña, Fatma, apareció nuevamente.

—Mamá Makoo —gritó él—. ¿Qué significa Fatma?

—No tengo idea —respondió Makoo—. Será algún tipo de lombriz. Pero no nos vamos a detener a comer—agregó rápidamente, tratando de distraer la atención del niño de ese nombre, ya que ella sabía perfectamente que era un nombre de humano.

Los avestruces se detuvieron y agacharon las cabezas para escarbar. Los avestruces adultos prefieren comer plantas. Hadara hizo lo mismo que los avestruces, pero se ayudó con las manos y arrancaba las plantitas del desierto con las raíces. Masticaba todo; las hojas, las raíces, el tallo. Pero no había agua.

Al mediodía, cuando el calor del desierto era insoportable, aprovechaban para descansar. Por la tarde proseguían su marcha pero todavía no habían encontrado agua. Makoo no estaba preocupada por ella. Los avestruces se arreglan sin agua por un largo tiempo. Pero sabía que Hadara era diferente, él era un ser humano y los humanos eran criaturas más delicadas.

En cuanto salió el sol continuaron la marcha. La arena en ese tramo era gris, con altas rocas marrones y afiladas. Hadara comenzó a sentirse cansado. Sus pasos ya no eran largos y no podía seguir el ritmo a los avestruces. Se daba cuenta que de Makoo y Hogg, preocupados, aminoraban su marcha para que no se quedara atrás.

La sed resecaba su boca y le partía los labios. Cuando ellos se detuvieron buscó hojas gruesas. Sabía que estas contenían líquido. Pero ya no alcanzaba. Su sed crecía. Como cuando era chico, en los momentos de mucha sed, se llevaba el pulgar a la boca.

El tercer día, Hadara ya no corría, sólo caminaba. Ya no escuchaba la melodía y no pensaba en Fatma ni en nada.

Abandonaron el desierto pedregoso y llegaron a un lugar llano, con arena color rosa. Al mediodía, cuando el aire caliente lo invadía todo, vio un lago con agua brillante. Era consciente de que sólo se trataba de un espejismo. De todas maneras no podía dejar de añorar esa imagen.

Para aguantar recordó que aquella vez tenía una sed insoportable y su mamá, con sus alas suaves, lo empujó y lo llevó hacia un manantial. Trató de recordar lo que se sentía al hundir sus manos en el agua fría para luego beber y beber...

Su lengua se hinchó, sus ojos comenzaron a ver unos puntitos luminosos y se sentía mal. Estaba muy cansado y sólo podía caminar lentamente.

También los avestruces se sentían desfallecientes. El grupo avanzaba despacio.

Ya tarde en la noche, Hogg se detuvo de golpe y emitió un siseo furiosamente. El grupo se quedó inmóvil. No era muy usual verlo así. Algo grave sucedía, todos lo percibieron.

Hogg caminó unos pasos hacia el costado y miró hacia abajo. Hadara se adelantó para ver qué había despertado el enojo de su padre. En la arena había un nido de avestruces, abandonado. Y también había huevos de avestruces rotos. Y cuatro huevos vacíos agujereados. Hadara se agachó y levantó uno de los huevos comprobando que estaba vacío. Seguramente habían sido los buitres egipcios que los habían agujereado para luego sorber su interior.

Puso los dedos en los agujeros, de esa manera podía levantar los cuatro huevos, que quería conservar.

—Deja los huevos —dijo Makoo—. ¿Por qué siempre tienes que cargar cosas? Justamente ahora es más innecesario. Estás cansado y sediento. Necesitas de todas tus fuerzas. ¡Tira los huevos!

Pero Hadara había llegado a esa edad en que muchas veces no importa lo que las mamás dicen. En lugar de eso, se puso de mal humor. No dijo nada pero retuvo los cuatros huevos por el resto del día.

Durante la noche durmió con los huevos de avestruz a su lado. Makoo se enojó con él.

—No me molestes, fue lo único que él dijo.

Durmió profundamente y no se despertó al mismo tiempo que los demás. Makoo lo tuvo que mover un poco con la pata. Cuando se despertó, su cabeza le daba vueltas, vio estrellas a pesar de que era pleno día, su lengua estaba hinchada y su boca estaba tan seca como si hubiera comido arena.

Escuchó que Makoo y Hogg decían que si él se desmayaba, ellos lo cargarían.

El muchacho caminaba pesadamente y cada vez más despacio. Cada vez que respiraba era un tormento.

Cuando miraba hacia el horizonte, se balanceaba hacia adelante y hacia atrás y el fulgor lastimaba sus ojos. Prefirió caminar con los ojos entrecerrados.

Finalmente los cerró y caminaba siguiendo el ruido de los avestruces que estaban delante de él.

¿Cuánto tiempo más resistiría?

También los avestruces sufrían por la sed, si bien no tanto como el niño. Mantenían sus picos abiertos.

—¿Qué será eso negro que se ve allí? —se preguntó Makoo.

Los avestruces tienen muy buena vista; pero el desierto engaña. En un desierto absolutamente llano fácilmente se puede creer que una pequeña piedra es una gran montaña. Quizás era solamente una pequeña piedra. De todas maneras todos estaban esperanzados y ansiosos. Eso negro se veía como un pozo.

Era un pozo.

Hadara y el resto se inclinaron sobre el borde, se trataba de un agujero redondo bordeado por piedras y en su interior brillaba un espejo de agua.

Hadara abrió la boca. Agua. Ahí abajo había agua.

¿Pero cómo conseguirían sacarla?

Las caravanas que se detienen al lado de los pozos en el desierto, siempre llevan bolsos de cuero que bajan por medio de una cuerda. Pero tanto Hadara como los avestruces no tenían idea de esto. El desfalleciente Hadara miró los cuatros huevos de avestruz y pensó que si lograba bajarlos los podría llenar de agua. Pero no podía llegar hasta el agua.

Entonces hizo algo sobre lo cual los avestruces no dejarían de hablar, inclusive muchos años después.

El agotado y sediento Hadara levantó una pierna y la puso al borde del pozo, lo mismo hizo con la otra de tal manera que quedó sentado en el borde de este.

—Pero ¿qué haces? ¡Ten cuidado! —dijo su mamá avestruz angustiada.

Hadara tenía un huevo de avestruz en cada mano. Ahora puso sus pies contra el borde.

De dónde sacó esa idea, no lo sabía muy bien. Sólo pensó que lo iba a poder hacer. Lentamente hundió su cuerpo y se deslizó hacia abajo, apoyando su espalda contra las puntiagudas piedras mientras sus pies se apoyaban contra el lado opuesto del pozo.

—Ten cuidado —le pidió Makoo, angustiada.

Hadara sentía cómo las piedras, disparejas y puntia-gudas, rozaban su espalda. Los músculos de la pierna le dolían. Pero la desesperación por conseguir el agua lo impulsaba hacia abajo. Si él no tomaba agua ahora, se iba a morir. Extrañamente las fuerzas volvían a él cuando las necesitaba.

Despacio, centímetro a centímetro, logró llegar hasta el agua. Cuando sintió el líquido hundió uno de los huevos de avestruz en el agua, luego lo levantó y bebió. Desde aquella vez cuando era chico, que bebió de un manantial, no había vuelto a beber algo tan delicioso.

Luego que había bebido suficiente agua hasta saciar su sed, volvió a llenar los huevos e inició el difícil ascenso. Cuando miró hacia arriba, vio un cielo celeste y cinco sufrientes caras de avestruces que lo miraban ansiosamente.

Cuando estaba por llegar al borde del manantial, sintió que sus fuerzas lo abandonaban.

¿Qué pasaría si se cayese al agua?

No tenía ninguna experiencia en aguas profundas; lo más grande que conocía eran los charcos en el desierto. Pero su instinto le decía que estas aguas que estaban bajo él eran verdaderamente peligrosas.

—¡Continúa! —le gritaban los avestruces.

—¡Tú puedes!

—¡Lo vas a lograr!

Le dolía la espalda y las piernas le temblaban. Los huevos de avestruz, que ahora estaban llenos, le pesaban de una forma tal que le producían un dolor insoportable en sus dedos. Pero ya había bebido suficiente. Sólo tenía que llevar el contenido de los huevos, sin derramar. Fue trepando centímetro a centímetro. Cuando al fin pudo poner una pierna sobre el borde del pozo comenzó a llorar. La presión había sido demasiado grande. Pero antes de comenzar a llorar, depositó con mucho cuidado los huevos en el suelo, para que el agua no se fuese a volcar.

Makoo le acarició la mejilla. Nada la ponía tan triste como ver a Hadara llorar. Los avestruces no lloran, por lo tanto no entendía el llanto.

Hadara inclinó su cara hacia una de las suaves alas de Makoo. Luego se calmó, paró de llorar y se puso a construir un hoyito. Echó ahí el agua de uno de los huevos, para que los avestruces pudieran beber.

Sin sed y felices, el grupo se tendió en la arena para dormir.

Junto a Hadara se encontraban los cuatro huevos de avestruz, llenos de agua.

Dos veces más Hadara había bajado para llenar los huevos. Y dos veces había logrado subir.

El ataque de los chacales

Hadara se despertó en su caliente y suave cueva de plumas. Había soñado y trató de retener el sueño, pero este se escurría como una víbora y desaparecía. Lo único que quedaba de su sueño era un movimiento, una melodía y el calor en su espalda, tan cálido como el sol mismo.

El muchacho se quedó inmóvil para tratar por lo menos de atrapar el sentimiento que le despertó el sueño.

Pero Makoo rompió el encantamiento. Se levantó, se sacudió las alas, comió unas piedras y salió a buscar comida.

Cuando regresó, Hadara le preguntó una vez más:

—Esa cosa que encontré en la falda de la duna, ¿adónde puede haberse ido?

—Yo no recuerdo que hayas encontrado cosa alguna. ¿Ustedes recuerdan algo? —preguntó Makoo hacia el resto de los avestruces.

—No, no, para nada —contestaron a coro, muy convencidos.

—Seguramente lo habrás soñado. Lo único que hiciste fue trepar por la duna y luego tirarte. No pasó nada más que eso —dijo Makoo.

Había muchas cosas de Hadara que la desconcertaban; una de ellas eran sus sueños. Algunas veces, temprano por la mañana, él le contaba sus sueños y no tenían nada que ver con los sueños de los avestruces, que en general sueñan con comida.

Cuando le contaba sus sueños, ella no los entendía.

—Seguramente se trata de uno de tus sueños —dijo Makoo, que se agachó para arrancar una raíz que no quería ceder.

El grupo se puso en movimiento. Ese día atravesaron un lugar de suaves colinas donde la arena tenía diferentes tonalidades. Cada tanto se podía distinguir un grupo de árboles.

Hadara llevaba dos huevos de avestruz. No podía cargar más pues se desplazarían con rapidez. Para sorpresa de sus padres, había enterrado los otros dos, llenos de agua y había dicho:

—Aquí, al lado de estas piedras filosas, con un arbusto en el medio, enterré los dos huevos de avestruz con agua. Cubrí la abertura con pasto. En el caso de que nosotros volvamos, sabemos que tenemos el agua escondida.

Los dos huevos de avestruz que llevaba llenos de agua pesaban mucho y le producían mucho dolor en sus dedos. Cada tanto los cambiaba y se los ponía en sus brazos. Pero al rato se cansó y volvió a llevarlos metiendo los dedos en los agujeros.

En ese momento comenzó a pensar en dos cosas. Lo primero: que sería bueno si pudiera llevar los huevos en algo o sobre algo, de esa manera podría cargar más huevos con agua. Y lo segundo: Hadara se miró las manos y se preguntó ¿por qué era tan diferente del resto? ¿Por qué tenía ese aspecto? ¿Por qué sería tan diferente a sus padres? Había estado presente en muchos nacimientos de avestruces y ninguno se veía como él.

Al mediodía el calor era tan fuerte que en sus ojos refulgían pequeñas chispas. Se detuvieron a la sombra de unos árboles.

El sol daba en la mitad del árbol, lo que producía pequeñas sombras en la arena.

Siempre que había un árbol, Hadara se trepaba hasta las ramas que los avestruces no podían alcanzar y arrancaba hojas y frutas para que ellos comieran. Él comía lo mismo. Pero el calor era insoportable. Bajó del árbol y se tendió junto al resto esperando que pasaran las horas de calor más intensas.

Todos se apretaban bajo la pequeña sombra del árbol. Cerró los ojos con la ilusión de que volviera el sueño que había tenido esa noche. En el momento en que el joven se disponía a dormir, sintió un olor y un movimiento que lo hizo ponerse de pie.

Tres chacales se arrastraban hacia ellos. Pudo ver sus ojos amarillos y sus fauces entreabiertas.

Por suerte había algunas piedras cerca. Agarró la que tenía más a mano, se las arrojó y al mismo tiempo empezó a perseguirlos gesticulando con los brazos.

Movió la boca. Pero no emitió ningún sonido. Al igual que los avestruces, el muchacho era mudo.

Para su satisfacción, los tres chacales se fueron galopando, sin darse vuelta. Sin embargo Hadara sabía que ellos se mantendrían en las cercanías. Tan pronto él y los avestruces se durmieran, los chacales regresarían. No se atrevió a seguir durmiendo. Tomó algunas piedras y se trepó al árbol para vigilar.

Los avestruces, que se despertaron por el ruido de los chacales, estaban aterrorizados; estaban bien acurrucados y temblorosos.

—Acuéstense y duerman —les dijo Hadara—. Yo hago la guardia.

Finalmente la familia avestruz se había calmado lo suficiente como para dormirse nuevamente, aprovechando la sombra.

—Qué haríamos sin ti —señaló Makoo, muy orgullosa.

Hadara estaba sentado en la copa del árbol y cavilaba. Se miró las manos nuevamente y pensó que era bueno eso de tener manos. Pero ¿por qué los avestruces no tendrían manos? Quería saber por qué era tan distinto a los otros. Pero prefería preguntárselo a Makoo cuando estuvieran solos.

El calor hizo que los avestruces se volvieran a dormir profundamente. Cuando Hadara dobló la cabeza hacia el pecho, se le cayó una de sus piedras. Para su suerte, estaba sentado en una horquilla y no se cayó cuando se durmió.

Sobre una de las colinas de arena oscura aparecieron las cabezas de los depredadores y de inmediato también sus cuerpos. Esta vez se movían más lentamente. Se arrastraban cerca del piso. Estaban hambrientos luego de semanas sin comer una presa grande. Sabían que la única posibilidad que tenían de matar un avestruz grande era hacerlo mientras dormían.

Los cinco avestruces dormían profundamente; también Hadara.

Los chacales, de piel manchada, estaban excitados por el olor de los avestruces. Cuando estaba a diez metros de las grandes aves, se dispusieron para el ataque. Los tres corrieron al mismo tiempo hacia Makoo que dormía lejos del grupo. Pero antes de que ellos pudieran alcanzarla, algo enorme y terrible saltó del árbol. Esa cosa grande y extraña tenía un terrible olor a humano y cuando agitó sus brazos, los chacales salieron corriendo despavoridos sin ganas de volver jamás.

Cuando la frescura de la noche cayó sobre el desierto, los avestruces y el muchacho continuaron la marcha. El Sahara ya no era más un lugar llano, ahora atravesaban un desierto de colinas secas y arbustos muertos que asomaban a la arena como duendes de largos y enmarañados cabellos.

No encontraron agua pero Hadara se empecinaba en llevar los huevos vacíos de avestruz. Decía que no sabía lo que podía pasar. Dos días caminaron sin conseguir agua. Comieron todas las plantas que encontraron, pero eso no les alcanzaba. Nuevamente la sed los empezaba a castigar.

Hadara comenzaba a rezagarse y la pequeña caravana iba cada vez más lenta. Hogg, que había decidido que irían a una parte desconocida del desierto, comenzó a arrepentirse.

¿Qué hacían allí?

Esto terminaría mal. Ciertamente él sabía por qué estaban allí. Había elegido ese lugar porque Makoo quería ir bien lejos del lugar donde los humanos habían abandonado a Hadara, hacía muchos años.

Pero en verdad era un error. Sin comida, sin agua. ¿Y si regresaran?

Podrían volver al lugar donde el chico había enterrado los huevos y luego podrían ir hasta el pozo del cual Hadara había logrado sacar agua. No, era una tonta idea.

Les llevaría tres días llegar hasta el lugar donde estaban los huevos y cerca de cuatro llegar al pozo. ¿Resistirían? Lo dudaba.

A paso lento siguieron su camino.

En el cielo se estaba produciendo un cambio. El cielo, hasta entonces azul, se fue cubriendo de nubes grises. El sol ya no se veía y algunas moscas revoloteaban y zumbaban alrededor del brazo de Hadara. Un saltamontes se paró en un arbusto seco.

Trató de alcanzarlo para comerlo, pero no tuvo suerte.

Tanto las moscas como el saltamontes eran una buena señal; señal de lluvia.

El pequeño grupo se detuvo, levantaron sus cabezas y olfatearon el aire. Ciertamente el aire estaba diferente, ya no tan seco. Se podía sentir la humedad. Todos esperaban las lluvias. Todos los animales del desierto la esperaban, las plantas y los seres humanos también. Hacía seis años que no llovía en esta parte del desierto.

Por la tarde cayeron las primeras gotas.

¿Quieres decir que yo no soy un avestruz de verdad?

Hadara corría por el desierto con increíble velocidad. De repente se paró en seco, con los brazos y la cara hacia el cielo. Las primeras gotas de lluvia eran tibias y cayeron en su cara y en sus hombros. Las gotas caían en su cuerpo polvoriento formándole rayas. Todavía estaba preocupado. ¿Caerían más gotas?

Hadara abrió la boca y sacó la lengua. Lo que pasó luego sería uno de los recuerdos más fuertes de su vida y todas las veces antes de dormir, lo volvía a revivir. El recuerdo era maravilloso y al mismo tiempo doloroso.

La lluvia se hacía cada vez más intensa, las gotas mojaban sus labios y su boca reseca.

Sin necesidad de volver la cabeza, identificó perfectamente el ruido que había detrás. Era el grupo de avestruces que venía corriendo hacia él. Se pararon en seco y se ubicaron a su alrededor y cuando la lluvia se intensificó, levantaron sus alas y todos juntos, el chico también, comenzaron a bailar en forma de remolinos. Era el baile de la alegría.

El agua chocaba contra el suelo y formaba pequeños charcos. Hadara estaba parado en medio de la lluvia y con los dedos, el único peine con que contaba, se alisaba el cabello lacio y mojado. Los avestruces, en cambio, sólo tenían que sacudir sus alas y alisarlas con el pico.

De repente todos los seres vivos del desierto estaban de buen humor. Los pequeños ratones corrían de aquí para allá, los escorpiones salían de sus cuevas, los conejos saltaban por las colinas y todas las plantas, que parecían muertas, revivieron.

Hadara quiso aprovechar la situación y detuvo a Makoo cuando se dirigían hacia el lugar donde iban a dormir. Esa noche hablaría con ella, pero buscaría hacerlo cuando estuviera sola. Le pasó su brazo por el cuello y le dijo:

—Acuéstate. Te voy a sacar las garrapatas.

La lluvia era más suave ahora, apenas una llovizna. Pero todavía se podía percibir en el aire su delicioso aroma. Makoo estaba contenta. Las garrapatas eran una verdadera plaga. Así que ella se tendió en el suelo enseguida, con el pescuezo hacia el suelo, de manera que Hadara pudiera alcanzarla.

Sus dedos humanos le permitían sacar rápidamente las garrapatas, hinchadas de sangre, que estaban adheridas al pescuezo de Makoo. Tiraba de ellas, luego las sacaba y las miraba con asco. Hadara sabía cómo estos animalitos perjudicaban a los avestruces. El muchacho no acostumbraba matar o lastimar aquellos animales que no necesitaba para comer, pero las garrapatas eran una excepción. Tomó una espina de un arbusto seco y la clavó en el gordo animalito. Luego la ponía en el suelo y la picaba con la espina. Finalmente la enterraba en la arena con su pie desnudo.

—¡Qué maravilloso! —dijo Makoo—. Yo creo que todavía tengo algunas debajo de un ala.

—Mamá… —le dijo sabiendo que ella se ponía feliz cuando la llamaba de esa manera. Hadara sabía exactamente lo que quería decir. Pero para hacerlo quería esperar a que ella estuviera de excelente humor. La lluvia había influido mucho en su estado de ánimo.

—Mamá —le dijo el nuevamente, sabiendo que ella quería escucharlo decir esa palabra una vez más—. ¿Me puedes contar la historia que explica por qué los avestruces no pueden volar?

Mientras el muchacho le sacaba dos garrapatas, bajo la cálida llovizna, Makoo le contó una historia que ya había escuchado muchas veces.

—Una vez, hace mucho tiempo, los avestruces podíamos volar tan alto como quisiéramos. Volábamos alto, muy alto. Cuando queríamos mudarnos de lugar, sólo volábamos. Cuando venían los depredadores, sólo teníamos que alzar vuelo para protegernos.

Pero había un avestruz que no se conformaba con volar alto, quería volar hasta el Sol. Una mañana, bien temprano, levantó vuelo. Los otros avestruces, desde el piso, lo miraban volar alto y más alto. Finalmente se convirtió en un pequeño punto negro en el cielo.

—Va a poder —dijeron los otros avestruces—. Va a llegar hasta el Sol.

Pero no lo pudo hacer, porque se acercó tanto al Sol que sus alas se chamuscaron y se estrelló contra el piso.

Desde ese día los avestruces hemos perdido nuestra capacidad de volar. Nuestras alas son hermosas, pero no nos sirven para volar.

Cuando terminó el cuento, Hadara le preguntó algo que andaba rondando su cabeza desde hacía tiempo.

—¿Por qué yo no tengo alas?

—No todos los avestruces son iguales, algunos son diferentes.

—Yo sé cómo son los avestruces. He visto muchos avestruces salir del cascarón, pero nunca he visto uno sin alas. Y ninguno de tus pichones tiene manos.

—Algunos pichones son diferentes. Sólo es así. Y piensa la suerte que tenemos de que tú seas diferente. Piensa por ejemplo en aquella vez que bajaste al pozo para recoger agua. Eso yo no lo podría haber resuelto sin tu ayuda. Y tampoco yo puedo arrojarles piedras a los chacales. Y tampoco los avestruces podemos treparnos a los árboles.

—¿Estás diciendo que yo no soy un avestruz de verdad?

—Sí, pero tú has vivido con nosotros durante casi toda tu vida y te has convertido en uno más de los nuestros.

—Así que yo soy de otro tipo. ¿De qué tipo soy?

—Eso no lo sé —dijo Makoo—. Pero en eso ella mintió.

—¿Cómo llegué a vivir con ustedes?

—¿Quieres realmente saberlo?

—Sí, por supuesto —dijo impaciente Hadara.

—Nosotros te encontramos.

—¿Qué? —dijo Hadara y sintió que toda su vida comenzaba a tambalearse.

—Eras muy pequeño cuando te encontramos. Y desde el primer momento nos gustaste y con Hogg decidimos cuidarte.

En ese preciso momento la llovizna dio paso a una intensa lluvia que los empapó. El cabello de Hadara chorreaba y sus dientes empezaron a castañetear. El agua lo azotaba y le caía a chorros por su cara. Alrededor de sus pies se formó un gran charco de agua. Makoo y Hadara se fueron juntos hacia donde estaba el resto del grupo. Encontraron a los demás agachados en la lluvia, mirando cómo los pequeños valles del desierto se convertían en rápidos torrentes de color marrón.

Seguir conversando con Makoo era imposible. Ahora debían buscar rápidamente algún lugar alto donde el agua no los alcanzara.

Esta vez no corrieron en fila sino que lo hicieron como una manada. Pero no llegaron muy lejos, ya que fueron detenidos por uno de los lagos recién formados. Delante de sus pies tenían un lago lleno de agua burbujeante mezclada con arena de color café. Hogg envió una desesperada señal a los otros. Tendrían que apurarse a vadear el lago que se había formado, para llegar hasta la colina del otro lado. Allí el agua no llegaría. Se metió en la fuerte corriente, dando grandes pasos y con la cabeza ligeramente ladeada hacia atrás. Cuando llegó al otro extremo, ayudó a Makoo a pasar.

El tercero era Hadara, que sentía cómo el agua lo empujaba y lo arrastraba. En medio del río se golpeó el pie en una piedra, tropezó y cayó. La cabeza se le hundió, pero con ayuda de los brazos y las piernas, haciendo una voltereta, pudo salir a flote, con la boca llena de agua y arena. La corriente lo arrastraba rápidamente. La noche ya había llegado. Todo a su alrededor era oscuridad, una impenetrable oscuridad. Ni la luna ni las estrellas se hicieron presentes esa noche. Su familia no lo encontraría aunque lo pasara buscando por la orilla de las rápidas aguas del río. La correntada lo arrastraba. Hadara estaba aterrorizado.

En una isla desierta

Las compuertas del cielo estaban abiertas de par en par. El agua corría sin obstáculos por el sediento desierto, pero este era incapaz de absorberla después de seis largos años de sequía. Por esa razón se formaron wadis, ríos de agua burbujeante, que corrían de manera salvaje. En uno de esos nuevos ríos que se formaron Hadara giraba y giraba.

Hubiese querido gritar, pero después de tantos años de vivir entre los avestruces, se había olvidado de utilizar su voz.

En cambio, dentro de su cabeza, gritaba:

—¡Makoo, Hogg, ayúdenme!

Pero nadie escuchaba sus silenciosos gritos.

Una vez más su cabeza se hundió en el agua y una vez más, con ayuda de sus brazos y piernas, pudo salir a flote, pero de lo que no pudo librarse fue de tragar agua fría y arena. Tosiendo y escupiendo logró librarse de ellas recuperando un poco de aire en sus pulmones. Pero nuevamente se volvió a hundir.

Un objeto duro lo golpeó. El dolor le recorrió el cuerpo. Se sentía tan cansado que estaba a punto de rendirse, pero sus largos cabellos se engancharon en algo y pudo mover los brazos de tal manera que se agarró de unas ramas. ¿Sería un árbol que el agua había arrastrado?

Sí, era un árbol. Hadara no podía verlo pues la oscuridad era total. Sin embargo lo sentía. Esto le dio nuevas fuerzas. Se abrazó al árbol; de esa manera podía mantener su cabeza fuera del agua y respirar normalmente. Temblaba de frío y de cansancio. Hubiese deseado que esa noche fuera como una noche cualquiera en que se ponía debajo de su mamá, al abrigo de sus plumas calientes. De repente, el árbol se sacudió, cambió de dirección y se detuvo. Hadara comprendió que se había atorado en algo y que ya no sería arrastrado por el agua. A pesar de su cansancio y utilizando las ramas, pudo llegar hasta el borde de la playa.

Cuando salió del agua sentía que sus piernas pesaban como piedras. Apenas podía levantarlas y estaba tan extenuado que prácticamente no sintió felicidad alguna al salir de aquella correntada infernal. Estaba demasiado cansado para sentir algo. Tambaleante y tropezando bajo la lluvia, se alejó del río lo más que pudo.

Era casi imposible ver algo en medio de la lluvia tupida. Sin embargo sintió que el terreno se hacía más alto. Pero cuando creyó estar en una colina, se hundió.

No tenía nada para protegerse de la lluvia. Nada con que cubrirse. Su cabello estaba mojado y helado, sus dientes castañeteaban. Se acurrucó y la lluvia continuaba cayendo. Era la primera noche de su vida en la que estaba completamente solo. Lloró quedamente. Finalmente el cansancio lo venció y se durmió.

Al amanecer la lluvia había cesado pero el cielo seguía cubierto de espesas nubes. En el horizonte apenas se divisaba el Sol. Cuando Hadara abrió los ojos y vio que la lluvia había cesado, sonrió. Corrió y trotó para calentar su cuerpo. Pero la felicidad le duró poco. Su pequeña colina estaba totalmente rodeada de agua. Era una isla. A veces había visto espejismos que se parecían a esto; mucha agua, con un pedazo de tierra en el medio. Pero no era ningún espejismo. Toda esta agua no se correría ni desaparecería.

Caminó hasta la playa , se arrodilló y bebió. Por suerte ya no sentía más frío. Pero comenzaba a sentir hambre. Como todas las mañanas de su vida en el desierto, empezó a buscar su alimento. Había un solo árbol en su isla. Se sintió feliz de verlo. Sabía que algunos árboles tenían hojas venenosas. Por suerte este no era de esa clase. Lamentablemente el árbol estaba medio seco y había perdido la mayor parte de sus hojas.

Hadara le arrancó las pocas hojas que le quedaban y lentamente las empezó a masticar. Luego comenzó a reconocer el terreno; había arbustos, arbustos secos.

Arrancó algunas raíces y las masticó. Estaban amargas, por lo menos una parte de ellas. Pero había aprendido a no hacer mucho caso de eso. Además, en ese momento hasta el sabor amargo le parecía agradable.

A pesar de todo lo que había masticado, no quedó satisfecho. Por eso se agachó para ver si encontraba algún gusano o algún escarabajo. Lo único que encontró fue un ciempiés color marrón rojizo que lentamente masticó. Mientras escarbaba, iba separando todas las piedras pequeñas que encontraba. Cuando terminó de comer el ciempiés, tomó las piedras y una a una las fue tragando.

Cuando ya no tuvo más hambre, comenzó a pensar la forma de irse de allí. Su colina era en realidad una isla formada por la inundación. Al sur, donde terminaba el lago, pudo divisar tierra firme. Hadara fue hasta la orilla y entró en el agua. No sabía nadar. Y no era extraño, hasta ahora sólo había conocido charcos y aquel estanque donde había conseguido agua un tiempo atrás. Cómo haría para nadar, no lo tenía claro, pero sí sabía la forma en que se iría de allí. El agua estaba tranquila, no tenía corrientes. Lo que haría sería atravesarla hasta llegar a tierra firme. Se tenía que ir de la pequeña isla. La comida era escasa y necesitaba encontrar a su familia.

De repente un pensamiento terrible se apoderó de él. ¿Y si a su familia también se la había tragado el agua? El agua le llegaba a los tobillos. Se metió un poco más.

Ahora le llegaba hasta las piernas. Se metió un poco más. Ahora le llegaba hasta las caderas. Se metió un poco más. Ahora le llegaba hasta la cintura. Después de lo que le había pasado ayer ya no se sentía seguro en el agua. Nunca más quería experimentar la sensación de su cabeza sumergida en el agua. Para no resbalar iba probando. Una vez que un pie estaba seguro, movía el otro. De cuando en cuando miraba hacia delante. La playa seguía estando lejos.

Por encima de su cabeza las nubes se volvían más compactas. Un trueno y un relámpago, y las nubes se abrieron otra vez. Se desgajó la lluvia. El agua le chorreaba por su cara y le impedía ver, así que tuvo que detenerse. Muy despacio y con pasos inseguros intentó dirigirse nuevamente hacia la isla. En el cielo los rayos asemejaban víboras furiosas. La lluvia caía con fuerza. Apenas podía ver la isla. Trató de apurar el paso, pero resbaló y se cayó. Su cabeza quedó sumergida en el agua; le dio pánico. Pero el agua en esa parte era baja, por lo tanto se pudo poner rápidamente de pie. Los últimos metros que le quedaban para llegar a la isla los hizo corriendo, salpicando el agua con sus pies.

Hadara era consciente de que en la isla había problemas para conseguir comida. Sin embargo, allí estaba a salvo, pensaba.

Estaba equivocado.

El nivel del agua fue subiendo. La isla se había convertido en un pequeño punto de tierra. ¿Adónde iría? ¿Trataría de cruzar el lago como había intentado hacer antes? No. Ya no se atrevía y el agua subía. De la isla ya no quedaba prácticamente nada.

Sus pies ya estaban en el agua. Hadara había estado tan ocupado mirando cómo la isla desaparecía y cómo el agua subía de nivel, que no se había percatado de que algo se movía en el agua. Algo venía nadando, se movía rápido hacia delante con fuertes brazadas y patadas.

Era Makoo.

Todos los avestruces pueden nadar, pero Makoo sólo lo había hecho una sola vez en su vida. Cuando era joven su manada había llegado en una ocasión hasta el mar. En este momento su habilidad le vino de maravilla.

Hadara sólo se dio cuenta de la presencia de Makoo cuando la tuvo al lado. Ahora la isla estaba sumergida y él estaba parado con el agua hasta las rodillas. Al ver a su madre Hadara se sintió tan radiante como un rayo de sol. Le sonrió calladamente y estiró sus manos para acariciar su cabeza y su cuello. Ya no sentía miedo del agua. Se metió en ella hasta que le llegó al pecho. Cuando Makoo nadó hacia la otra playa, Hadara, agarrado firmemente de una de sus alas, se dejó llevar. Cuando estaban a mitad de camino, Hadara vio al resto de su familia avestruz esperándolos.

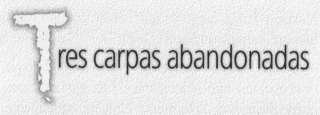Tres carpas abandonadas

—¡Al agua contigo! Tú puedes nadar —le dijeron los avestruces más jóvenes—. Todos pueden nadar.

—Yo no —contestó Hadara.

—Todos los avestruces pueden nadar —dijeron y se metieron en el agua.

'Pero yo no soy un avestruz' —pensó el chico y se quedó parado en la playa.

Los jóvenes avestruces chapoteaban con sus alas. Luego, comenzaron a nadar, con sus largos cuellos estirados asomándose en la superficie.

—¡Apúrate, tírate! —le gritaban los jóvenes—. Este lago va a desaparecer en un par de días.

Delante de ellos se veía un lago brillante y azul. Las nubes habían desaparecido y el sol iluminaba el desierto. Ese desierto donde un milagro estaba sucediendo.

En sólo dos días pequeños capullos asomaban en los hasta ayer resecos arbustos. Los árboles tenían hojas nuevas y en sitios inesperados comenzaba a crecer pasto verde. Había comida y bebida en abundancia.

Makoo y Hogg, luego de que habían comido hasta hartarse, caminaron hacia el lago.

—Báñate Hadara —le dijeron—. Aprovecha. Esto no es el mar, que nunca desaparece. Esta agua es la que quedó después de la tormenta. Mañana seguramente no va a haber ningún lago.

Los avestruces adultos se metieron en el agua lentamente y con dignidad. Movían sus alas y dejaban que el agua corriera por sus plumas.

—Ven. Tú también necesitas un baño —dijo su mamá.

Lentamente Hadara se acercó al agua. Los recuerdos volvían a su cabeza; recuerdos de violentas corrientes que lo arrastraban, recuerdos terribles. Sin embargo, trató de pensar en otra cosa, en esta agua tranquila y cálida que se sentía suave al tacto. Lentamente se inclinó hasta que el agua le llegó al cuello. No era desagradable. Con la mano llena de arena se refregó todo el cuerpo. La piel le quedó un poco roja, pero se sintió muy bien cuando se enjuagó con el agua tibia. ¿Y el cabello? ¿Qué haría con su cabello? Lo sentía áspero. Salió del agua, tomó una planta con hojas pequeñas, gruesas y redondas, y con ellas se masajeó el pelo. Se enjuagaba y nuevamente repetía la operación. Después que hizo esto cuatro veces, hundió su cabeza en el agua. Luego sacudió su cabello, lo peinó con los dedos y lo ató con una pequeña raíz.

—Ahora quiero aprender a nadar —les dijo a los avestruces jóvenes.

Después de tres días el lago prácticamente había desaparecido; sólo quedaban algunos charcos. Pero el desierto florecía. Flores amarillas, blancas, rosas, aparecían por doquier. Las matas y los árboles resecos se vistieron de verde, los escorpiones y las ratas del desierto que rara vez se podían ver, se mostraban ufanas, aun durante el día. En esa oportunidad Hadara conocería la primera manada de gacelas. Estaban alrededor de un charco. Eran pequeñas, graciosas, de color marrón claro y con pequeños, muy pequeños cuernos. Pensó que nunca en su vida había visto algo tan bello. Quería acercarse, acariciar a una gacela. Pero no resultó, eran tremendamente asustadizas. Tan pronto la manada escuchaba un ruido o veía un movimiento anormal galopaban tan rápido como las nubes del desierto.

Hogg construyó un nuevo nido en la arena y se apareó con Makoo y también con las hembras más jóvenes. Ellos estaban tan ocupados con sus asuntos que no se dieron cuenta que Hadara había empezado a realizar largos paseos. Era la primera vez que hacía algo así. Siempre se había mantenido cerca de su familia avestruz.

Cada día los paseos se hacían más largos. Algo le inquietaba, no sabía qué.

Un día se levantó en la madrugada y caminó durante todo el día. No se detuvo a dormir ni siquiera en las abrasadoras horas del mediodía. El sudor le corría por su cara pero seguía caminando. En un momento vio tres extrañas cosas en la arena. Parecían tres colinas, pero no. Se acostó boca abajo y las miraba fijamente. Pero nada se movía. Olfateó el aire, pero no sentía ningún olor. Puesto que no detectó ningún peligro, se levantó para ver de qué se trataba.

Eran tres tiendas, tres tiendas abandonadas, pero eso él no lo sabía. Ni siquiera comprendía lo que estaba viendo. Se arrastró y tocó la tela. Había restos de granos de arena. Entró en una de las carpas y volvió la cabeza con la boca abierta. En la arena había enormes huesos, tan grandes como nunca había visto. Tomó uno de ellos y lo sopesó. Quizás eran huesos de león. Hadara nunca había visto un león, pero sabía que eran muy grandes. Un extraño sonido hizo que el muchacho huyera disparado de la tienda.

El animal que estaba afuera era blanco con negro y peludo. No era especialmente grande, tenía cuernos y barba. Hadara nunca había visto un animal igual.

—No necesitas correr —le señaló el extraño animal—. Todos los que vivían es estas tiendas están muertos. Se enfermaron de algo llamado fiebre amarilla. Todos murieron, menos los animales. Los camellos se fueron, no sé a dónde. Yo, en cambio, acostumbro a mantenerme por acá. Tú eres el primer ser humano, el primer hombre que veo en años —dijo la cabra y se fue.

"Humano", dijo el animal. ¿Sería él un humano? Esto aclararía por qué no es igual a los demás avestruces. Los pensamientos le daban vuelta en su cabeza como los remolinos de viento que levantaban la arena. ¿Por eso él no tenía alas y sí tenía manos? Pero, humano… ¿Qué era eso?

Hadara entró a la carpa nuevamente. El terreno estaba cubierto de fina y suave arena. Empezó a escarbar hasta que encontró una alfombra roja. Acarició su suave textura y un recuerdo comenzó a crecer en él, algo le recordaba esa textura. También recordaba los dibujos de color rojo. Pero lo que Hadara no sabía es que una vez él había dormido en una alfombra roja. Su cuerpo recordó una alfombra suave. Sus ojos recordaron las figuras geométricas. Se acostó en ella y en ese momento supo que alguna vez, hace mucho tiempo, había dormido sobre una alfombra, igual que ahora.

Cuando despertó, el Sol asomaba en el horizonte como una enorme bola incandescente. Se tenía que ir de allí rápidamente. Hadara sabía que si no volvía antes del anochecer, su familia avestruz se preocuparía mucho. Pero al mismo tiempo no podía dejar de escarbar en la arena. Así encontró un cuchillo; tampoco sabía de qué se trataba. Lo retuvo en la mano, se sentía bien tomarlo del mango. También encontró una tela floreada. Después de varios intentos fallidos, logró atarse la tela alrededor de la cintura. El cuchillo lo mantenía en su mano. Luego corrió con largos y elásticos pasos de avestruz, hacia donde estaba su grupo. A pesar de la oscuridad sabía exactamente en qué dirección debía correr.

Cuando llegó hasta el lugar, todos los avestruces estaban despiertos. Nadie había podido dormir sin Hadara.

Las manos en la cueva

Un poco antes del amanecer, Hadara se escabulló del cálido nido que tenía debajo de Makoo. Se movía lentamente para no despertarla. Había escondido la tela floreada y el cuchillo debajo de una piedra. Para su tranquilidad comprobó que todo estaba en su sitio. Se preguntaba para qué serviría el cuchillo. Su mango era suave y cuando lo tocaba, sentía una agradable sensación.

El muchacho pasó la hoja sobre su brazo y lanzó un callado alarido de dolor. Con horror comprobó que tenía una profunda herida en el brazo, luego vino el dolor y la sangre. Lanzó el cuchillo lejos y con la tela apretó fuerte el lugar de la herida.

Makoo que entre sueños oyó su grito, vino corriendo. Sus grandes y hermosos ojos estaban desmesuradamente abiertos por el temor.

—Mi niño, mi niño, ¿qué te ha pasado?

Hadara estiró sus brazos hacia ella y tiró de la tela. En ese momento pudo escuchar cómo Makoo aspiró y vio que levantaba las plumas de la cola. Estaba enoja-

da y al mismo tiempo asustada. '¿Por qué estará enojada?', pensó Hadara y apretó la tela contra la herida.

Makoo se acercó y con una de sus fuertes patas, pateó
el cuchillo con tanta fuerza que este salió volando.

—Mantente lejos de estas cosas —le previno Makoo.

—¿Qué es esa cosa? —se preguntó el muchacho.

—Algo peligroso, algo que te lastima. Nunca más
vuelvas a tocar algo así.

—Te lo prometo —dijo Hadara que le pareció el momento oportuno para preguntarle a su madre sobre
eso que le daba vueltas en su cabeza, desde que habló
con la cabra.

—Mamá. ¿Qué es un humano?

—No tengo idea —le contestó Makoo que de súbito
se dio vuelta y empezó a pastar.

Después de la solitaria caminata y del hallazgo de las
tres tiendas, Hadara sintió que había pasado una fron-
tera y que algo en su interior había cambiado.

Cuando era pequeño solía estar siempre con los avestruces; ahora sentía que una fuerza interior lo impulsaba a hacer, solo, nuevos y más extensos viajes.

Durante sus viajes se acostaba boca arriba y miraba
las nubes. Disfrutaba viendo las nubes y soñaba con

estar allí arriba, volando como ellas. Cuando le contó esto a su mamá avestruz, ella le dijo:

—Esa fantasía la tienen todos los avestruces. Todos los avestruces sueñan con poder volar.

Durante las noches, antes de acurrucarse bajo las alas de Makoo, Hadara solía quedarse en el suelo observando las estrellas que brillaban en el cielo. Se sentía bien estando así, de cara al cielo.

Durante las primeras horas de la noche, Hadara sentía el calor de la arena que todavía estaba tibia, recorriendo su cuerpo. Pensaba mucho en las estrellas. ¿Qué serían? Los avestruces no sabían, pero uno de los más jóvenes, al que le gustaba bromear al respecto, decía que las estrellas eran avestruces muertos.

Cuando Hadara dijo que las estrellas parecían imágenes en el cielo y preguntó cómo se llamaban, no obtuvo respuesta alguna. Por eso decidió ponerles nombres: cada noche bautizaría a una constelación diferente: "El Avestruz Solitario", "Nido Lleno de Huevos", "El Avestruz que Vuela"...

Pero lo más emocionante era una banda ancha y luminosa que se extendía por el cielo. Cuando era pequeño pensaba que allí se juntaban los avestruces para ir hasta un manantial. Luego de la inundación llamó a la banda luminosa simplemente como "El Río".

Al principio, cuando caía la helada en la noche y sentía frío, despertaba a Hogg o a Makoo y se cobijaba debajo de ellos.

La herida en el brazo sanó, pero a pesar de todo conservaba la tela que había encontrado en la tienda y que a menudo se ataba alrededor de la cintura. A Makoo no le gustaba esto, Hadara lo sabía y quería que él se deshiciera de ella. Cada tanto discutían por la tela, pero el muchacho estaba empecinado en conservarla.

Un día cuando, paseando solo, encontró unos melones grandes y amargos que habían empezado a crecer después de las intensas lluvias. Comió uno y se sintió satisfecho. Luego tomó el resto de las frutas, las puso en la tela y se las llevó al grupo de avestruces. Makoo reconoció que la tela era de utilidad, por lo menos para alguien que tuviera manos.

El hallazgo de los melones le dio a Hadara más libertad. Los avestruces habían encontrado un buen lugar donde quedarse por un largo tiempo. Hogg había construido un nido y todos sabían que en cualquier momento Makoo pondría sus huevos. Desde ahora el grupo sólo tendría que permanecer cerca del nido para cuidarlos. Pero Hadara dijo que se iría para recoger más melones para la manada. El lugar donde estaban los melones quedaba bastante lejos, tal vez hasta tendría que pasar la noche afuera, o quizás tendría que pasar varias noches afuera.

Nadie protestó, ni siquiera Makoo.

Hadara partió solo. Pensaba estar fuera varios días. La sensación de libertad que él sentía lo llevó a interrumpir el viaje en varias ocasiones para ponerse a bailar; a veces lo hacía con los brazos ligeramente extendidos, a veces con los codos doblados, aleteando como un avestruz. A medida que bailaba, aumentaba su alegría.

Un árbol apareció en el horizonte. Esperanzado en hojas frescas, corrió hacia él. Cuando llegó a su lado se dio cuenta que era un árbol reseco por el sol y el calor. Las lluvias habían llegado tarde para él. De todas maneras las ramas daban un poco de sombra.

Pensó sentarse y dormir un par de horas. Pero antes de hacerlo debía averiguar si había alguna víbora en las cercanías. De los avestruces había aprendido que también las víboras buscan la sombra de los árboles.

Empezó a patear la arena bajo el árbol. A medida que lo hacía, algo empezó a moverse bajo la superficie. Era una víbora que se había enterrado en la arena y que ahora se movía rápidamente y en zigzag hacia un hueco que había del otro lado. Era una víbora cuerno.

Ahora podría dormir tranquilo un par de horas bajo la sombra del árbol. Cuando estaba a punto de dar un paso, se detuvo. Una víbora larga y delgada de color negro, desconocida para él, se deslizaba por las ramas secas. Hadara escuchó un pequeño ruido metálico cuando la piel de la víbora rozaba las ramas. El chico no se movió. Por un segundo se observaron. Ella se detuvo; luego siguió su camino. Entonces se recostó en el árbol y se durmió.

En el sueño, la cabra le hablaba sobre sus manos y quizás sobre algo más. Pero cuando despertó las imágenes se fueron tan rápido como los ríos que se forman después de la lluvia en el desierto. Permaneció sentado con los ojos entrecerrados tratando de invocar nuevamente los sueños. Pero estos no volvieron. Se sentía deprimido. Estaba convencido de que la cabra le había dicho algo importante en el sueño.

La sensación de felicidad que le provocaba su libertad había desaparecido. Se sentía solo, extrañaba a los avestruces, necesitaba compañía, pero qué iba a hacer; les había dicho que estaría afuera un par de días...

Por esa razón continuó su viaje. Además, les había prometido llevar melones. Lo peor era dormir solo. Además hacía frío.

Al día siguiente vio algo extraño que se levantaba sobre el horizonte. Cuanto más se acercaba, más extraño le parecía. Era una montaña, una montaña que no tenía fin. Hadara corrió hacia ella. Era la montaña más grande que había visto en su vida. Sus piedras tenían colores claros; sin embargo, esto no era lo más extraño. Lo extraño era que en ella no había nada áspero o puntiagudo. Aquí todo era suave, redondo y bello.

Casi con adoración, el chico se acercó a ella y comenzó a trepar.

En una angosta garganta entre las rocas, donde el viento soplaba con fuerza, Hadara escuchó un extraño sonido que se repetía con regularidad. No sabía que los nómadas llamaban a esa garganta "El pequeño mar" porque creían que ese sonido se asemejaba al sonido del mar y de las olas rompiendo contra la playa.

Hadara sólo escuchó un sonido continuo. Y lo disfrutó.

En lo alto de un costado de la montaña vio una pequeña y oscura abertura. Entrecerró los ojos y pudo ver más aberturas de ese tipo. No sabía que esas aberturas eran cuevas. Y que lo que había en ellas hacía que los humanos no se acercaran a esa montaña.

Ellos creían que estaba habitada por demonios, demonios que se comían a la gente y que luego pintaban las paredes con su sangre.

El chico sintió asombro y curiosidad hacia esas cuevas. Por lo tanto comenzó a trepar hacia allí, por las escarpadas laderas de la montaña. Podía hacerlo, era fuerte y su cuerpo era elástico. Tantos años viviendo con los avestruces no habían sido en vano. Puso un pie en una pequeña grieta, se estiró ayudándose con las manos y siguió trepando. Hadara no tenía miedo y llegó hasta la primera cueva con facilidad.

Dentro había un espacio cuyas paredes estaban cubiertas con pinturas de color rojo. Sonrió al verlos.

Eran avestruces, avestruces que corrían. Esos dibujos se parecían a los que él mismo acostumbraba hacer con un palito en la arena. Pero estos eran mucho más bonitos. Mucho tiempo pasó Hadara admirando los dibujos de avestruces.

Al lado había dibujos de ciervos, que también reconoció. Pero no fue así con los dibujos que representaban unos animales con manchas, de patas largas y cuellos largos.

Se veían muy extraños.

¿Existirían estos animales?

Cavilando acerca de los animales de cuello largo, continuó trepando hasta llegar a otra cueva.

Allí había un dibujo del extraño animal de cuello largo. Atrás había una figura más extraña todavía; tenía dos piernas y un palo en la mano. Parecía como si la extraña figura le fuera a tirar el palo al extraño animal de cuello largo. El animal huyó aterrorizado.

Hadara miró fijamente el dibujo. Después de un rato le pareció que el animal se movía y que la figura del palo lo perseguía.

En la otra pared de la cueva, había más dibujos. Todas estaban pintadas de rojo. Estas representaban dos figuras de dos patas, pero esta vez no llevaban palos en las manos. Algunas eran grandes y tenían dos cosas redondas que le salían del cuerpo. También había figuras pequeñas, pero sin aquellas cosas redondas. De repente se dio cuenta de lo que estaban haciendo. No estaban cazando, sino bailando. Todos bailaban, igual que él solía hacer.

Algo se movía en su interior. Supo que había visto criaturas como esta de dos patas, bailando sin la ayuda de las alas. Pero ¿cuándo? ¿Y dónde?

Muy confuso Hadara siguió trepando. No, qué ideas tan tontas tenía. Las únicas criaturas de dos patas que había visto bailar, eran los avestruces. Pero las criaturas con dos patas que había visto en los dibujos, no eran criaturas de dos patas parecidas a los avestruces, sino que eran criaturas que se parecían a él.

Confuso y preocupado, se balanceaba en el descanso de la montaña. No miró hacia abajo para no marearse y caer. Una roca le cerraba el paso. Se trepó en ella y saltó al otro lado, hasta ahí llegó. Tuvo que subir por una pared vertical.

Casi sin respiración y empapado de sudor, alcanzó una cueva más. Se quedó paralizado y con la boca abierta. Las paredes aquí eran suavemente redondeadas y el techo era un poco más alto que su cabeza.

Toda una pared, hasta el techo, estaba cubierta de huellas de manos. Eran huellas de manos pequeñas y grandes. Él se miró las manos y lentamente se acercó a la pared donde estaban las huellas. Cuando estuvo cerca de la pared, levantó su mano derecha y la puso sobre una huella. Era muy pequeña. La puso sobre otra. Era demasiado grande. Por último puso su mano en una huella que era exactamente del tamaño de su mano. Sintió un calor extraño proveniente de la huella roja. Estuvo parado un largo tiempo, desconcertado con su mano derecha sobre la pared.

Por fin, alguien como yo!

La sed lo obligó a dejar la montaña y las cuevas. Sentía su lengua como una piedra dura en la boca. Hadara miró y vio que del otro lado de la montaña no había llovido. De todas maneras, a pesar de los riesgos, quería continuar. El paisaje del otro lado de la montaña era tórrido y estéril. Sólo alguna mata seca, de cuando en cuando.

Sin embargo quería salir.

Pensaba que los que dejaron las huellas en las cuevas, tenían que estar por algún lado; tal vez allí, en la otra parte de la montaña.

Podría ser que en esta parte del desierto encontrase a alguien parecido a él. Eligió caminar por la falda de la montaña. Lo único que llevaba consigo era el pedazo de tela floreada atado en la cadera.

Cuando encontró una caña la partió. Se la puso en la boca y trató de arrancarle algún sonido. Pero no lo logró. No sabía para qué servía pero se la llevó de todas maneras.

Un sol cruel quemaba su cuerpo. Tomó la tela y se la ató alrededor de su cabeza. A pesar de la tela empezó a ver puntitos luminosos moviéndose. Conocía estos síntomas y sabía que pronto debía conseguir una sombra y algo para tomar.

En el horizonte pudo ver un grupo de árboles. Esto le dio nuevas fuerzas. Sus pasos se volvieron más largos y más resueltos.

Se imaginaba árboles florecidos con hojas verdes y rebrotes. Tal vez hasta encontraría frutas. Comería hasta hartarse, luego descansaría a la sombra.

Su desilusión fue grande cuando alcanzó los árboles. Es posible que las grandes lluvias no hubiesen llegado hasta aquí. Los árboles en realidad estaban resecos y sin hojas, rebrotes ni frutas. Lo único que tenían era un gran agujero. Pero no quiso meter su mano ahí. Podría encontrar un escorpión o tal vez una víbora descansando adentro. Así que tomó la caña que llevaba con él, la metió en el agujero y empezó a jugar con ella. Cuando la estaba chupando, unas gotas mojaron sus labios. Chupó más fuerte y su boca quedó llena de agua.

Si en ese momento hubiese tenido un cascarón de huevo de avestruz, lo habría podido llenar de agua. Ahora sólo podía beber hasta saciar su sed.

Hadara masticó algunas raíces y se recostó a la sombra. Se durmió satisfecho.

Antes de dormirse pensó que así no podía seguir. Era muy peligroso. Todo estaba muy seco en esta parte del desierto. 'Voy a beber todo lo que pueda y luego voy a volver', pensó. Además sentía tristeza de estar solo, durmiendo bajo un árbol solitario. Extrañaba a su familia.

¿Qué lo despertó? No lo sabía. De todas maneras se despertó sobresaltado. Un olor desconocido llegó hasta él. Su nariz le indicaba peligro. ¿Sería un guepardo? No, no era el típico olor de un animal carnívoro. Con mucho cuidado abandonó el árbol, corrió y se escondió detrás de un peñasco. El olor ahora era más fuerte. Se trepó al peñasco y se echó arriba de la piedra, boca abajo. Lo que vio tenía que ver con eso que siempre le rondaba en su cabeza y que hacía que su corazón latiera tan rápido que le costaba respirar.

Unos enormes y extraños animales marchaban en fila. ¿Eran realmente extraños?

En ese momento recordó el olor, un olor que no era desconocido para él. Una palabra se abrió paso en su cabeza: camello. Sabía que lo que estaba viendo, eran camellos.

Cinco camellos flacos se movían muy lentamente sobre el duro y seco terreno. Supo también por sus movimientos que tenían mucha sed. Pero lo que hizo que su corazón prácticamente se le saliera del pecho no eran los cinco camellos flacos, sino la criatura que iba liderando la fila.

Su cabeza estaba envuelta en una tela blanca. El resto del cuerpo estaba cubierto con una tela que flameaba, mucho más grande que la que él llevaba alrededor de su cabeza.

La tela blanca sólo le dejaba libres los ojos. Pero a Hadara lo que más le impactó fueron los pies que asomaban por debajo de la tela; no eran cascos de camello, ni pies de avestruz, ni garras de guepardo. Eran iguales a los pies que vio dibujados en la cueva.

Y eran iguales a sus pies.

Movió la cabeza y echó una mirada ceñuda a sus pies.

Siempre se había preguntado por qué sus pies eran tan diferentes a los pies de los avestruces. Y ahora, delante de él, encontró algo que tenía pies iguales a los suyos.

Esa criatura debía ser de su misma especie.

Seguramente esa criatura era un ser humano, un hombre, como le dijo la cabra.

El humano tenía la misma posición que el camello; iba despacio, agobiado, con la cabeza hacia abajo.

Hadara hubiese querido abalanzarse sobre él, bailar, darse a conocer.

'Aquí estoy yo —hubiese querido decirle—. Somos de la misma especie'. Pero antes de que atinara a hacer algo, se dio cuenta que las patas del primer camello habían empezado a temblar. Finalmente se doblaron y con un quejumbroso ruido se desplomó.

Entonces el hombre sacó un cuchillo, igual al que él había encontrado en la tienda y con el que se había lastimado. El cuchillo era largo, curvado y brillaba al sol.

El humano se arrodilló sobre el camello caído y le cortó la garganta.

Hadara vio con horror cómo la sangre roja salía por la herida y caía en la arena formando pequeños charcos de color rojo. El humano estaba parado junto a él y lo miraba.

El muchacho respiraba con dificultad y estaba feliz por no haber corrido y haberse mostrado y tal vez bailado. Su cuerpo le daba señales de peligro y le indicaba que tenía que volar de ahí.

Pero se quedó. Estaba como clavado en la piedra viendo cómo el hombre secaba el cuchillo con un puñado de arena. Luego, lo introdujo en el estómago del animal. Un enorme chorro de líquido transparente salió de su interior, que el hombre juntó en una vasija y luego bebió.

Estaba bebiendo al lado de los charcos de sangre en la arena. Con el cuerpo inclinado hacia el camello muerto, eructaba estrepitosamente.

Las piernas de Hadara comenzaron a temblar. Se deslizó de la piedra y empezó a vomitar.

l ataque

Los avestruces tenían dificultad para dormir cuando Hadara no estaba con ellos. Makoo había comenzado a poner huevos. Durante el día era ella quien empollaba los huevos. Sus plumas eran claras y se confundían en el paisaje. Durante la noche era Hogg quien lo hacía, pues sus plumas eran más oscuras.

Todos estaban nerviosos, pero nadie decía nada. Desde su lugar, un poco más alto, Makoo no dejaba de escudriñar el paisaje. Su pequeña cabeza se movía hacia todos lados.

¿Por qué no habría regresado? Por un momento estaba preocupada; en otros, rabiosa.

¿Acaso ella no lo había salvado? Si ella no lo hubiese adoptado cuando era pequeño, no habría sobrevivido. Ahora que ella estaba poniendo huevos y que sus pichones estaban a punto de salir, lo necesitaban más que nunca.

Por qué se había ido justo ahora.

La rabia dejaba paso a la preocupación. ¿Y si le hubiese pasado algo?

Al anochecer, Hadara todavía no había regresado. Hogg se echó sobre los huevos; ese día había salido un nuevo huevo. Él no dijo nada, pero observó que Makoo no se echó enseguida, como ella acostumbraba a hacer. Estaba inmóvil y escuchaba el chillido de las ratas del desierto cuando abandonaban sus cuevas, el crujido de las patas de las lagartijas contra la arena, la caída de un escarabajo grande y redondo que resbaló en una pendiente de arena y el jugueteo de los conejos.

La vida del desierto comenzaba, como era habitual, cuando caía la noche con su frescor.

También deseaba escuchar el sonido de una persona descalza, pero fue en vano.

Hadara se sentó y trató de contener sus temblores abrazando las piernas con sus brazos. Pero fue inútil, los temblores continuaban.

Tenía frío y extrañaba el calor de las plumas de avestruz. El espíritu de aventura que lo había llevado a emprender solo la expedición, se le había terminado. Extrañaba a los avestruces, extrañaba a su manada.

Quería encontrarla lo más pronto posible. Pero quién sabe si sería capaz de volver. Había vivido toda su vida en el desierto, pero siempre fueron Makoo o Hogg los que señalaban el camino.

Intentó dormir apoyado en una raíz de árbol. Se dormía y se despertaba, dormía y despertaba. Fue la noche más larga de su vida.

Los pensamientos le remolineaban en su cabeza. ¿Quién habría dejado las huellas de manos rojas en las cuevas? Seguramente humanos como él. Luego los cinco camellos. Sabía que esos animales grandes con jorobas en la espalda se llamaban camellos. Y también sabía que le gustaban esos animales.

Posiblemente los conoció cuando era chico. Sólo que ahora no lo recordaba. Y seguramente sintió tanta pena por ellos al verlos tan flacos y tan cerca de la muerte, porque él los quería mucho. Y luego el hombre que estaba envuelto en tanta tela, que tenía los pies iguales a los de él y que tenía manos iguales a las de él.

Era raro, no había pensado en sus manos, hasta ahora. Pero luego esa cosa terrible. El humano que sacó un cuchillo, uno igual al que él había encontrado en la tienda, con el que se había herido. El cuchillo brilló y un segundo después el cuello del camello estaba cortado. Sangre gruesa caía sobre la arena formando un charco rojo. La próxima vez que el cuchillo brilló, el hombre lo metió en la panza del camello y de ahí empezó a salir un líquido. ¿Era agua? De todas maneras el humano juntaba cada gota con avaricia y bebía hasta la última gota.

Cada vez que se despertaba, aparecía ese recuerdo en su cabeza y todas las veces se sentía mal.

La madrugada se presentó helada y los dientes de Hadara no podían dejar de castañetear.

Estaba sentado con la cara hacia la salida del sol. Por lo tanto vio cómo la oscuridad del cielo dejaba paso a colores más claros. Y cómo un enorme disco de color rojo se iba abriendo paso en el horizonte.

Sus dientes dejaron de castañetear, los temblores cesaron. Levantó su cara hacia la luz y el calor. Hoy tendría que encontrar el camino de regreso, de regreso con los suyos.

Se levantó y se movió para calentar el cuerpo. Luego comenzó a correr con pasos largos. Toda su vida había intentado correr como su familia avestruz, con pasos largos, elásticos y efectivos. Levantó su pierna lo más alto que pudo, pero como siempre, pensó que no lo hacía igual que ellos. En el frescor del amanecer intentó imitar a los avestruces lo mejor que podía. Se sintió feliz porque su cuerpo le respondió. Pero un sentimiento de intranquilidad lo invadía, tanto como una víbora moviéndose bajo la superficie.

¿Estaría corriendo en el sentido correcto?

Entonces vio una pequeña montaña de piedras en la arena que él mismo había hecho. Se había detenido allí para hacer caca y no sabía por qué, pero cada vez que hacía esto, cubría de arena el excremento y le ponía piedras encima.

Nunca había estado tan feliz de encontrar un poco de caca.

Ahora sabía que estaba en el camino correcto. Corría más lentamente con la mirada puesta en el duro suelo.

Allí vio las huellas de sus pies. Y allí. Y allí.

De regreso siguió sus propias huellas. A lo lejos estaba el grupo. Makoo se levantó del nido y se quedó parada, los otros la imitaron.

—No encontré los melones —les dijo casi sin respiración y en tono de disculpa.

—No es nada —dijo Hogg—. Absolutamente nada.

—Tenemos tres huevos en el nido. Ven y míralos.

Hadara miró el nido y vio tres grandes huevos amarillos y blancos. Segundos después Makoo se echó sobre ellos. Se sentía aliviada. Ahora que Hadara había vuelto, sus huevos y los pichones que nazcan estarán protegidos. Como siempre. Pero lo más importante para ella era que Hadara había regresado, porque a pesar de que era adoptado y un poco extraño, para ella, era su hijo.

Hogg hizo una seña para que el grupo se pusiera en movimiento. Y como siempre, quería que Hadara corriera delante de los avestruces jóvenes.

—¿Adónde vamos, preguntó el muchacho? ¿Acaso no me voy a quedar con Makoo?

—No —dijo Hogg—. Tenemos algo que mostrarte, una sorpresa. Te vamos a mostrar algo que nunca has visto en tu vida.

Cuando Hogg se detuvo, se detuvieron los otros aves-truces. Todos miraban con esperanza a Hadara.

Delante de él había un oasis, un pequeño lago rodea-do por una corona de árboles.

—Yo no sé si se formó después de las grandes llu-vias o si siempre estuvo acá. Espero que sea así —dijo Hogg.

Hadara sonrió con una amplia y silenciosa sonrisa. Lento y cuidadosamente se acercó al lago. Se agachó, juntó sus manos para recoger agua y se las llevó a la boca.

El agua estaba fría y sabía muy bien. Antes de irse algo llamó su atención. Aprovechando que los demás se habían retirado, volvió al lago.

Todo lo que estaba alrededor del agua cobraba vida. Un enorme árbol crecía al costado del lago. También había arbustos espesos con sus respectivos brotes, hermosas y exuberantes plantas florecientes, pasto y cañas. Pero no era esto lo que atrajo la atención de Hadara. Temeroso, fue hacia el brillante lago, te-meroso se tendió en la playa y temeroso acercó la cabeza hacia el agua. La imagen que le devolvió el agua lo hizo parpadear. Es más, lo llenó de horror. Un segundo después abrió los ojos, miró nuevamente y vio una pequeña nariz y una pequeña boca y adentro, unos pequeños dientes. El cuerpo era liso, sin plumas, eso él ya lo sabía. Pero lo peor eran los ojos. Los avestruces tienen enormes y bellos ojos de color marrón. Son redondos y tienen pestañas muy largas. Sus ojos eran pequeños y feos, parecidos a los de una víbora.

Ahora levantó su mano derecha y la mantuvo encima del agua y vio cómo se reflejaba en el espejo del agua. Luego levantó su mano izquierda y la movió. La imagen reflejada en el agua, también se movió. Esto realmente era interesante.

Estaba tan ocupado en mirarse, cosa que hacía por primera vez, que no sintió los pasos furtivos detrás de él.

A cuarenta pasos de distancia se encontraba un león con una voluminosa melena negra que se acercaba lentamente moviendo su cola en forma de látigo.

Levantaba con cuidado sus grandes y suaves garras y las colocaba silenciosamente de nuevo en la tierra.

Ahora estaba a sólo treinta pasos del muchacho. El león se detuvo ahí y moviendo su gran cabeza, pudo percibir el clásico olor a hombre.

Sin hacer ruido se encaminó hacia su presa. Ahora estaba a sólo veinte pasos de Hadara que seguía tendido de cara al agua y hacía unos extraños movimientos con las manos. Con el vientre pegado a la tierra, el león se arrastraba y se preparaba para el ataque. Cuando sólo le faltaban tres pasos se agachó sobre sus patas traseras y todo su cuerpo se tensó para el ataque. Su cola ya no se movía, sino que estaba tensa y extendida.

En un instante el león se quedó inmóvil. El ataque estuvo acompañado de un rugido, lo que le permitió a Hadara reaccionar con la velocidad de un rayo y salir disparado hacia el agua.

Una de las garras del león le produjo un rasguño en uno de sus muslos pero fue tal la rapidez con que reaccionó el muchacho, que no lo pudo alcanzar. Ahora él nadaba con fuerza para distanciarse de su perseguidor. Un nuevo y terrible rugido se escuchó a la distancia. Pero esta vez era un rugido de frustración y amargura.

Él se había metido en el agua, nadando. Personalmente el león odiaba mojarse; por eso abandonó la persecución. Se dio vuelta y se internó en la espesura.

Hadara vio que el león ya no lo perseguía. Su mamá siempre le había dicho que a los guepardos y a los leones no les gustaba el agua.

Nadó y nadó hasta la otra orilla. Antes de salir del agua inspeccionó bien el lugar. Corrió todo el camino de vuelta ya que tenía que alertar a los otros.

Cuando les contó la historia del ataque, concluyó diciendo:

—Si ustedes no me hubieran enseñado a nadar, jamás habría podido escapar del león.

Matar a un león

La caravana apareció en el horizonte. Catorce camellos con sus respectivas cargas y cuatro con sus respectivos jinetes. Al principio parecían una fila de hormigas en el horizonte; una hora después parecían un grupo de chacales negros. Dos horas después, se podía decir con seguridad que se trataba de camellos y gente.

Venían de Mauritania e iban camino a Tindouf. El hombre que dirigía el grupo era moreno y alto. Encima de sus rodillas llevaba un garrote. Se llamaba Bubut y era admirado en todo el oeste del Sahara.

Bubut era hermano de Daula, que sabía más de camellos que nadie y era conocido por sus plegarias de los viernes. Ese día él cantaba y hablaba con Allah. Bubut era admirado por su fuerza física y por su agresividad, ya que no iba a ninguna parte sin su garrote. Era capaz de correr a la par de un camello agarrarlo por la cola, derribarlo y matarlo con un solo golpe de garrote.

La caravana se movía sobre un terreno ondulado y se introdujo en una zona donde se notaba que había llovido.

Encontraron árboles que habían comenzado a florecer; vieron plantas verdes por todas partes. Los cuatro hombres se bajaron de los camellos y los dejaron pastar.

Bubut, el líder, cojeaba notoriamente. Unas semanas atrás se había rasgado con un arbusto espinoso; ahora la herida estaba roja e inflamada.

Cuando los animales dejaron de pastar los hombres se subieron a los camellos para continuar el viaje. En el camino se encontraron con otra caravana que viajaba al sur. Luego de los saludos tradicionales, su líder les dijo:

—Aquí tienen que dar un rodeo. Más adelante hay un oasis con un pequeño lago pero también hay un león que come gente.

—No importa —contestó Bubut—. Nuestros camellos tienen que tomar agua y nosotros también.

Bubut también era admirado por una cosa; nunca tenía miedo. Nunca había conocido el miedo.

Puesto que la noche estaba cerca, se acostaron en la arena aún tibia y durmieron.

En la madrugada, Bubut se despertó sobresaltado. Cuando contaba esta historia decía siempre: "Por primera vez en mi vida tuve miedo. Ese día me desperté aterrorizado. Un escalofrío recorrió mi cuerpo."

Pero esto no impidió que Bubut se levantara. Tomó su garrote y miró el pequeño lago del cual el hombre le había hablado.

Fue allí que Hadara lo vio en el otro extremo del lago brillante.

A pesar del miedo que el muchacho sentía por el león, se escabulló en la madrugada para tomar agua en el lago. Ahí vio una enorme figura negra aparecer desde el árbol, desde el otro extremo del lago. La figura se parecía a él, los mismos ojos de víbora, la nariz, las orejas, los mismos pies, las mismas manos. Se sintió inmensamente feliz. Era algo de su misma especie, seguramente un hombre.

¿Qué haría ahora? ¿Atravesaría el lago y lo alcanzaría?

Mientras Hadara cavilaba sobre su próximo paso, vio que este se agachaba ahuecando las palmas de sus manos. Luego las sumergió en el agua, las levantó y se llevó el agua a la boca. De la misma manera que él acostumbraba a beber.

La alegría que sentía le llevó a olvidarse del miedo. Dio varios pasos en el agua, quería de alguna manera darse a conocer. Entonces lo vio. En una rama del árbol estaba el león. Mientras el hombre bebía ayudado de sus manos, se oyó el crujir de una rama, precisamente de la rama donde estaba apostado el león.

El hombre se dio vuelta y alzó el garrote. El león se agazapó, sus fauces estaban semiabiertas. Luego saltó hacia el hombre, quien hizo algo que Hadara nunca habría hecho; se quedó inmóvil frente al león con el garrote en alto y cuando estaba saltando, lo golpeó en el costado de su cabeza.

Hadara estaba como hechizado. El hombre cayó de espalda ante el peso del león sobre él. Por un momento, los dos permanecieron inmóviles.

¿Qué tendría que hacer Hadara? Muy lentamente comenzó a bordear el lago. Entonces vio cómo el hombre se incorporaba liberándose del cuerpo del león, que seguía inmóvil. El hombre desapareció entre los arbustos. Un rato después apareció con un enorme cuchillo en la mano.

Cuando más adelante Bubut contaba esta historia, decía siempre: "Yo maté al león de un solo garrotazo y lo golpeé tan fuerte que el garrote se atascó en su cabeza. Cuando lo saqué, me resbalé, me golpeé en la cabeza con el garrote y caí desmayado. Cuando desperté, el león estaba muerto, pero durante la batalla había caido en la arena, haciendo un agujero tan grande que en él podían caber cinco hombres."

Hadara quería acercarse a ese hombre.

Más que todo quería moverlo y quería poner su mano sobre la palma de él.

Y más que nada quería ver si este respondería a su sonrisa; cosa que los avestruces nunca hacen.

Hadara dudó mucho en acercarse. Cuando finalmente dio el primer paso en dirección al hombre, vio cómo él levantó su cuchillo y atravesó la garganta del león, una y otra vez.

Un enorme chorro de sangre lo inundó todo, incluso los pies del hombre. Había tanta sangre que el hombre se resbalaba en ella. Finalmente la cabeza del león quedó separada del cuerpo. El hombre se agachó y levantó la enorme cabeza del león. Cuando la dejó en la arena, sus ropas estaban bañadas en sangre.

Luego cortó las cuatro garras del animal.

Hadara ya no tenía ganas de ir hacia el hombre y de poner su palma sobre la palma de él. Trepó en un árbol espinoso que ahora estaba lleno de hojas. Desde ahí podía ver todo sin ser visto.

Veía cómo el hombre cavaba una profunda fosa; allí depositó la ensangrentada cabeza del león y sus garras. El hombre esparció arena sobre el león hasta que la cabeza y las garras no se veían más. Luego se fue rengueando hasta una piedra enorme, la levantó y la depositó sobre la tumba del animal.

Hadara no se animaba a moverse. Desde su lugar podía ver a los camellos tomando agua y a varios hombres. Luego llenaron sus bolsos de agua y siguieron el viaje.

Toda la ilusión que tenía Hadara por encontrarse y ver a alguien de su misma especie, había desaparecido.

La agresividad del hombre lo había aterrorizado. Y la sangre también.

Al oscurecer corrió todo el camino de vuelta al nido, en donde Hogg estaba por cambiar de lugar con Makoo. Reunió a todos los avestruces y les dijo:

—Tienen que cuidarse de los hombres. Son muy peligrosos, les gusta matar animales.

Esa noche Hadara durmió intranquilo y soñó con gente con largos y filosos cuchillos que mataban avestruces.

Sólo luego que vio alejarse la caravana y sus integrantes, Hadara se fue al lago a beber, a lavarse y a nadar. Lo hizo así cada día, sin embargo, la mayor parte del tiempo se mantenía cerca del nido, como su mamá le había pedido.

Cada tres días lo acompañaban los avestruces al lago. Del cuerpo del león no quedaba casi nada. Los animales de rapiña habían hecho una fiesta con él y los chacales se habían encargado de los huesos.

Los avestruces estaban impacientes esperando que los pichones rompieran el cascarón. Luego de las grandes lluvias la comida era abundante. La vida transcurría apaciblemente y sin sucesos.

Pero un día, Hadara vio para su espanto cinco camellos con sus respectivos jinetes. Cabalgaban hacia el lago. Quiso correr, pero ya era tarde. Trepó un árbol y se escondió en el follaje porque ya no sentía alegría alguna de encontrarse con los de su misma especie. Uno de ellos, el más grande y más oscuro, era el que había matado al león.

Ese hombre de piel oscura fue hasta el lugar donde estaba la piedra que él había puesto encima de la cabeza de león y dijo:

—Cada uno de ustedes cuatro ha fanfarroneado diciendo que había matado el león. Ahora quiero que lo demuestren. Levanten esta piedra.

Uno por uno intentaron levantar la piedra, fracasaron todos. Entonces Bubut dejó su garrote, se acercó y levantó la piedra. Los hombres miraron hacia el interior de la fosa.

—Allí pueden ver los restos de la cabeza y sus garras —vociferó Bubut—. Fui yo el que mató al león.

Hadara miraba a los cinco hombres pero no entendía nada de lo que estaba pasando. Sólo sentía que los hombres eran terroríficos y totalmente incomprensibles.

Trepado en el árbol de acacia decidió que nunca tendría nada que ver con los hombres. Sólo quería ser avestruz.

La gacela moribunda

Todos los días Hadara iba al lago. El primer tramo lo hacía con altos pasos de avestruz. En las cercanías aminoraba la marcha y movía la cabeza de un lado para otro, como suelen hacer los avestruces, para comprobar que no hubiera humanos cerca.

En el lago aprovechaba para lavarse su largo cabello frotándoselo con alguna fruta grasa. Luego lo enjuagaba y le quedaba suave y brillante. Por último utilizaba sus dedos para alisarlo. A Hadara le gustaba sentir el roce de su cabello en la cara.

Cuando el muchacho encontraba algunos huevos de avestruz vacíos agujereados por los buitres egipcios, iba al lago, los llenaba de agua y los llevaba al nido. Allí tapaba los agujeros con pasto seco y los enterraba en la arena.

Los avestruces lo miraban tratando de comprender lo que hacía. Muchas de las cosas que Hadara hacía les resultaban incomprensibles. Sus juegos, por ejemplo, no tenían ningún sentido para ellos. A veces tomaba un palito y dibujaba en la arena.

—¿Ven lo que dibujé? —les preguntaba todo el tiempo—. Esto es un avestruz que corre muy rápido. ¿Y este otro? Es un avestruz volando. ¡Y de este se tienen que dar cuenta! Es un león echado sobre una rama.

Ni siquiera pudieron interpretar el dibujo del león, del cual Hadara estaba muy orgulloso.

Cuando no lo veían, ponía la mano en la arena y pasaba el palo por los dedos, para que quedara la huella. Luego borraba todo.

Otro de los juegos de Hadara consistía en arrojar piedras contra un trozo de árbol seco. Esto sí lo entendían los avestruces y por esto lo alentaban.

—¡Bien, muy bien! —le decían cuando daba en el blanco.

Todos sabían que los próximos meses eran muy peligrosos. Cuando los avestruces estaban empollando eran presa fácil de los predadores. Los buitres querían comer los huevos y cuando los pichones salieran del cascarón los peligros se hacían aún mayores; cuervos, cornejas, buitres, chacales, leones, guepardos; inclusive esos que Hadara había dicho que eran tan peligrosos: los humanos.

Hadara se sentía fuerte y feliz. Todos los días, antes de ir al lago, bailaba con los avestruces. Iba muy despacio, no sólo porque quería comprobar que no había humanos cerca, ni otro peligro, sino porque quería ver a las gacelas. Eran tan tímidas y asustadizas que él nunca había podido acercarse a ellas. Ahora podía esconderse detrás de un árbol y esperar cuando ellas vinieran a tomar agua. Nunca había visto algo tan bonito como las gacelas, eran pequeñas y relucían en todos los tonos diferentes de la arena.

Bebían cuidadosamente y siempre alguna de ellas hacía la guardia mientras las otras bebían. Si escuchaban algún ruido extraño o percibían algún olor extraño, salían disparadas todas juntas.

Hadara quería acariciarlas, pero tan pronto salía de su escondite, las gacelas corrían despavoridas.

—Yo no quiero lastimarlas —les decía.

Pero el resultado siempre era el mismo, se asustaban de él.

La tercera vez que trató de acercarse, les dijo:

—Yo no soy quien ustedes creen que soy. No soy un ser humano.

Pero ni siquiera esto ayudó. El grupo se dispersó con pánico en sus ojos. Y lo hicieron tan rápido que levantaron una nube de arena tras de sí antes de desaparecer entre los arbustos.

Lo primero que vio Hadara aquella mañana fueron tres buitres negros que volaban en círculo en el cielo despejado y azul. Los círculos se volvían cada vez más cerrados y más cercanos a la tierra.

Eso significaba que estaban acechando a algún animal moribundo. El muchacho dejó de buscar comida. Sólo quería saber qué buscaban los buitres. Los vio aterrizar detrás de una pequeña colina y rodear un cuerpo. Los buitres eran muy grandes, de color oscuro y sus pescuezos estaban pelados. Por alguna razón a Hadara no le gustaban los buitres. Por eso se acercó a ellos y los espantó con sus brazos.

Muy despacio se acercó al cuerpo que yacía escondido tras unos arbustos. Era una gacela; una hermosa gacela adulta color arena. Estaba tendida de costado con los ojos cerrados, pero Hadara pudo ver que todavía respiraba.

Muy despacio se arrodilló y puso su mano en el costado del animal. Desde que vio la primera gacela siempre había querido hacer esto. Cuando deslizó su mano sobre el costado del animal, pudo sentir un escalofrío. Pero ella no se movió. Así que Hadara pudo seguir acariciando su suave piel. Era tan hermosa como lo había pensado.

Luego le acarició la cabeza que despedía un extraño calor. Debía estar enferma, estaba muy caliente.

—¿Estás enferma? —le dijo él.

No obtuvo respuesta, pero sus párpados se estremecieron levemente.

La gacela estaba muriendo y él sentía que una enorme pena lo invadía. Hadara no quería que este hermoso animal muriera y sirviera de comida para los buitres que habían vuelto a volar en círculo esperando su muerte.

Hadara se levantó, juntó algunas hojas de un pequeño arbusto y se las colocó delante de su nariz. Ni siquiera intentó comer, pero notó que sus párpados nuevamente se estremecían.

Luego vio algo que nunca más olvidaría y que contaría muchas veces en su vida. El animal abrió unos ojos grandes y brillantes de los que se asomaron pequeñas lágrimas que le corrían por su cara. La gacela estaba llorando. Nunca en su vida había visto llorar a un animal. Él lo hacía, pero no así los avestruces. Sabía qué cosas podían ocasionarle el llanto.

Secó las lágrimas y con las dos manos acarició a la gacela muy suavemente. Cuando tocó la ubre del animal sintió que esa parte estaba más caliente que el resto del cuerpo. Era como si tuviese un enorme melón colgando. Sabía para qué servían.

Cuando miraba a las gacelas desde su escondite, había visto cómo las crías se acercaban y chupaban los pezones que colgaban de la barriga de sus mamás.

Le tocó las ubres: estaban duras e hinchadas. Cuando apretó uno de sus pezones, un líquido blanco salió disparado hacia su mano. Se lamió la mano; no sabía mal, al contrario.

Nuevamente le apretó las ubres y nuevamente un chorro blanco salió de ellas. Tomó un poco en la mano y lo probó. Sabía mejor que todo lo que había probado antes. Hadara recordó a las crías y se acostó en el suelo y tomó una de las ubres en la boca y empezó a chupar.

Hadara chupaba y tragaba la leche y con sus manos se dio cuenta de que las pelotas hinchadas de la gacela disminuían. Cuando estuvo tan lleno que no podía chupar más, se levantó y se secó la boca. Ahora la gacela mantenía abiertos sus ojos; eran grandes, marrones y brillantes. Ella le agradeció antes de cerrar los ojos nuevamente.

Hadara le trajo agua en un cascarón de huevo de avestruz y se la puso delante de la nariz. Pero no fue sino hasta que el muchacho le levantó la cabeza y le metió la nariz en el agua que vio que ella abría su boca, sacaba su lengüita rosada y lamía un poco del agua.

El resto del día se lo pasó acompañando a la gacela. Le dio más agua aunque al final ella pudo beber por sí misma. Al anochecer ya no estaba tan caliente y Hadara mamó un poco más de su leche antes de volver con los suyos.

Durmió intranquilo. ¿Aguantaría la gacela la noche? Hubiese querido quedarse con ella y protegerla pero su propia familia se desesperaba cuando él estaba afuera. Y mucho más cuando tenían huevos en el nido.

Antes del amanecer, cuando las estrellas todavía no habían desaparecido y la noche aún estaba fría, Hadara dejó su cómodo y caliente lugar para ir al lago. Para su tranquilidad vio que la gacela todavía estaba allí.

—No tengas miedo —le indicó desde lejos—. Te vine a ayudar.

A pesar de que había señalado que no había peligro, la gacela sintió mucho miedo y trató de incorporarse con sus temblorosas patas. Pero no lo logró y volvió a caerse.

Hadara se acercó, se arrodilló y con sus manos trató de tranquilizarla. Las ubres estaban nuevamente llenas. Una vez más bebió leche hasta quedar satisfecho.

—Esto es lo más rico que he tomado en mi vida —le dijo y con el cascarón de huevo de avestruz le acercó más agua a la gacela.

Para su satisfacción comprobó que ella ya no estaba tan caliente. Durante el día se quedó con ella. Así supo que se llamaba Dabi y que había perdido a su cría, su única cría. Cuando este desapareció, dejó el grupo para buscarlo. Pero la leche que su cría no había bebido, la enfermó.

—Tú me salvaste bebiendo de mi leche —le dijo a Hadara.

Hadara preguntó qué había pasado con su cachorro.

—Ahora sé —contestó Dabi—: un león lo mató y se lo comió.

—Pero yo sé que el león ha muerto. Un hombre mató al león, le cortó la cabeza, la enterró y le puso una piedra encima.

—No fue el macho, fue una hembra la que tomó a mi cachorro. Tú no sabes pero en las cercanías hay una leona con su cachorro.

Eso no lo sabía Hadara.

—Vi cómo tú llorabas. Creía que sólo yo lloraba.

—No —dijo Dabi—. Yo lloraba porque estaba a punto de morir. Todas las gacelas lloran antes de morir.

Lo último que pasó esa noche fue que Dabi se incorporó y con sus patas temblorosas fue hasta el lago y bebió agua por sí misma.

Hadara rodeó el cuello de la gacela con su brazo. Ella ya no le tenía miedo. Juntos fueron hasta el lugar donde estaban los avestruces. Junto a ellos, un poco retirada, Dabi pasó la noche.

Hadara les contó que ella había perdido su cría. Lo que no les contó, era que una leona que se mantenía cerca del lago, había matado y comido su cría. No quería preocuparlos.

A la mañana siguiente cuando los avestruces despertaron vieron que Dabi ya se había ido. A juzgar por las huellas había corrido rápidamente.

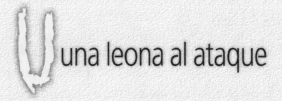

una leona al ataque

En el nido había treinta y dos huevos pero ni los avestruces ni Hadara lo sabían, porque ninguno sabía contar. Lo único que ellos sabían es que había más huevos que otras veces. Makoo había dejado que las dos hembras jóvenes pusieran sus huevos en el nido, si bien era ella quien los empollaba durante el día. Por la noche lo hacía Hogg.

Hasta ahora ningún huevo se había perdido. Tan pronto como Makoo abandonaba el nido para buscar comida llegaba Hadara a cuidarlos.

Los cuervos seguían rondando. Cada vez que Makoo se iba, ellos se acercaban. Entonces Hadara tomaba unas piedras y los espantaba.

—Tú eres mi principal hijo —solía decirle Makoo a Hadara—. Eres el más importante de mis hijos. Si no fuera por ti habríamos perdido muchos huevos, como suele suceder. Los pichones van a salir en cualquier momento.

Pero había un enemigo con el que Hadara no contaba; al que no lo asustaban las piedras ni los ademanes que acostumbraba hacer Hadara para espantar a los cuervos: la leona. Hadara ya había visto sus huellas cerca del lago.

Aquel día la leona dejó a su cachorro en la cueva donde lo había parido y se alistó para recorrer un gran trecho. Cerca del lago se detuvo a olfatear. En el aire se podía sentir un suave olor a avestruz. Sólo una vez en su vida había podido matar a un avestruz. El olor la atraía poderosamente. Con el hocico contra la tierra, se dirigió sin hacer ruido hacia el lugar donde el olor era más fuerte. Mataría el avestruz y se lo llevaría al cachorro. Cuando volvieran a tener hambre, ella lo traería consigo para enseñarle a cazar avestruces.

Como la mayoría de las mañanas, esa tampoco pasaba nada; Hadara yacía boca abajo y observaba un enorme lagarto negro, con rayas amarillas sobre su espalda que en ese momento salía de su hoyo. ¿Trataría de cazarlo? Realmente no tenía muchas ganas, era demasiado grande y como los avestruces adultos, prefería los vegetales a los animales. Los avestruces pastaban con su cabeza hacia abajo, todos menos Makoo, que estaba echada sobre sus huevos. Como siempre, escudriñaba el paisaje. Y como siempre, con sus ojos sagaces divisó algo a lo lejos. Dio la señal y los demás avestruces levantaron la cabeza y enderezaron sus pescuezos.

—Un león —señaló Makoo y todos comprendieron su miedo.

Los avestruces más jóvenes, entraron en pánico y desaparecieron con largos pasos hacia el nido, pero Hogg se quedó quieto, inmóvil. Luego, con pasos rápidos se ubicó frente al nido, con su cabeza en dirección a la inminente amenaza, hacia la leona. Hogg siseó, su pescuezo estaba hinchado por la furia y las plumas de su cola estaban levantadas.

¿Pero qué hacía Hadara? Hadara no hacía nada. Ni siquiera buscaba alguna piedra para arrojarle. Estaba paralizado, sus rodillas le temblaban. Había regresado a su memoria aquella vez, no hacía tanto tiempo, cuando junto al lago un león furioso se le lanzó encima. La herida que el león le había causado con sus garras ya se había cerrado, pero instintivamente se llevó la mano al muslo donde tenía la cicatriz.

Una vez más todo el horror que vivió aquella jornada se presentaba frente a él.

El hombre que mató al león de un golpe con su garrote y que luego cortó su cabeza con un largo cuchillo. Todo se mezclaba en su cabeza, le costaba respirar, como le pasaba siempre que tenía miedo.

Por primera vez Hadara no hizo ningún intento por proteger a su familia avestruz.

Solamente se quedó parado, pasivo, paralizado, dispuesto a huir.

La leona ya no tenía el hocico contra la tierra. Ahora que había visto a los avestruces, se acercaba, arrastrándose lentamente. El olor era cada vez más fuerte y tentador.

Ella vio que la hembra que estaba echada sobre los huevos se levantó y ahora pudo olerlos. También sintió olor a humano. Luego lo vio. Estaba un poco alejada de los avestruces y pudo constatar que él no llevaba nada en sus manos. Por lo tanto no tenía razón para temer. Para un león sólo una persona con algo en la mano era digna de temer.

Tensó todos sus músculos. Se aprontó para el ataque. Ya había elegido al más grande de los avestruces. Empezaría con él. Con un poco de suerte, agarraría también al segundo.

De repente pasó algo inesperado que la desequilibró. El avestruz más grande, ese que ella pensaba llevarle a su cachorro y que hasta ahora se había mantenido quieto, tomó impulso y con una larga zancada se abalanzó hacia ella y la golpeó con la pata derecha, con muchísima fuerza. La leona se apartó. Pero el golpe le rozó el cuello. Ahora se acercaba otro avestruz. La leona sintió que el aire vibraba con excitación. El avestruz que hasta hace un momento estaba echado sobre los huevos, de repente corrió hacia ella y le tiró una patada que, si ella no se hubiera corrido, le habría acertado justo en la cabeza.

El avestruz macho estaba sobre ella y antes de que pudiera reponerse la raspó con sus patas con una fuerza tal que la leona sintió un dolor terrible en un costado.

Un recuerdo vino a la cabeza de la leona. Pasó cuando ella todavía vivía en la cueva con sus padres. Dos jóvenes leones trataron de matar a un avestruz hembra. Pero en realidad fueron ellos los que resultaron muertos debido a una patada del avestruz.

Recordaba cuando después fue a ver a los leones. El avestruz les había destrozado el estómago con su fuerte garra.

Con un último rugido, la leona se dio vuelta y salió galopando hacia el lago.

Después de lo sucedido, todos quedaron muy nerviosos. Makoo quería que Hadara estuviera cerca del nido para cuidar a los huevos. Era como si ella hubiera olvidado que realmente él no había hecho nada para espantar al león. Hadara se avergonzaba por eso, pero no dijo nada. Tampoco los avestruces.

Una mañana muy temprano, un pequeño pichón, muy vivaracho y lleno de manchitas, rompió el cascarón. Luego salieron los otros. Tan pronto como ellos salieron de abajo de las plumas protectoras de su madre, comenzaron a tragar pequeñas piedras. A los pocos días empezaron a comer auténtica comida.

Hadara cazaba saltamontes y larvas para ellos, escorpiones, lagartos y ratones del desierto. Y cuando llegaba con los ratones o con algún lagarto grande y negro, Makoo los trozaba en pequeños pedazos para que los pichones los pudieran comer.

Los avestruces pensaban en la leona. Se mantenía probablemente al lado del lago, por lo tanto no se atrevían a ir allí para tomar agua.

Hadara veía que los pichones, que eran 18, estaban sedientos. Entonces recordó los huevos de avestruz que había llenado con agua, luego tapado con hierbas y enterrado en la arena. Por suerte recordaba el lugar. Fue hasta allá y escarbando con sus dos manos, los desenterró. Tomó la mitad de un huevo vacío de avestruz y lo llenó de agua. No pudo menos que sonreír cuando vio a los pichones tomar agua.

El muchacho trataba de jugar con ellos. Les tiraba un palo y pretendía que ellos corrieran y se lo trajeran de vuelta. Pero ellos no se lo traían. Luego se escondía y quería que ellos lo buscaran. Pero sólo picoteaban todo el tiempo.

Hadara los llevó a la única duna que había en las cercanías. Para ellos Hadara era un líder que había que seguir en fila. Pero cuando trepó a la duna, ellos no lo siguieron. Quedaron parados, mirándolo y esperándolo. Luego él se tiró de la duna. ¡Le parecía tan divertido! ¿Por qué los pichones no lo acompañaban? Finalmente agarró uno. El pichón forcejeaba; quería liberarse y hasta picoteó la mano de Hadara, pero de todas maneras el muchacho lo puso en la punta de la duna para que se tirara hacia abajo. El pichón rodó como una pelota, pero los otros se asustaron. El pichón rodante y los otros corrieron despavoridos hacia el lugar donde estaban sus padres.

Lo único que ellos encontraban divertido era correr.
Y corrían muy rápido. Por ahora Hadara les podía
seguir el paso, pero él sabía que sólo era una cuestión
de tiempo antes que ellos corrieran tan rápido que él
no los podría alcanzar.

El agua que había juntado en las cáscaras se había
terminado. Los pichones estaban tendidos con los picos abiertos. También los adultos estaban sedientos.
Todos necesitaban agua, pero Hadara más que todos.

Finalmente dijo:

—Tengo que ir a buscar agua.

Tomó el pedazo de tela, le puso los cascarones de
huevos vacíos adentro y la ató alrededor de la cintura.
Lentamente, oliendo el aire, fue hacia el lago.

Una bandada de pájaros levantó vuelo cuando Hadara se acercó al lago. Miraba muy atenta y cuidadosamente a su alrededor y daba vuelta la cabeza en
conjunto con el cuello como suelen hacerlo los avestruces. No vio nada, no escuchó nada y tampoco olió
nada raro. Con mucho cuidado se acostó boca abajo y
bebió agua hasta saciarse. Luego llenó los cascarones
y cubrió su abertura con pasto seco, para que el líquido no se le derramara. Una vez hecho esto, los puso
en la tela, la ató y se la colocó en la espalda. Olió otra
vez y ahora sintió un olor que nunca había sentido

en su vida. La curiosidad pudo más que la prudencia.
Comenzó a andar con la punta de sus pies alrededor
del lago hasta que comprobó que había huellas de un
león adulto. Con la mirada siguió las huellas, pero no
comprendió de qué se trataba. Las huellas del león de
repente se perdían y aparecían otras huellas. Esas huellas eran las que él no interpretaba. Hadara se agachó
y comenzó a olfatearlas. Nuevamente sintió ese olor
que nunca antes había percibido.

Olor a gasolina y huellas de un jeep.

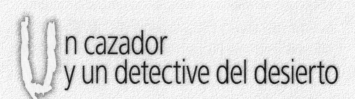

Un cazador y un detective del desierto

El americano Luke O'Connor bajó del jeep el cuerpo de la leona, que cayó pesadamente en la tierra.

Frente a sus pies estaba el primer león que había cazado en su vida. Quería tener una foto para recordar ese momento; faltaba saber si el árabe podía sacarla.

—¡Sidi Brahim, ven! —le gritó.

—Sí —contestó un hombre ataviado con un traje azul claro y en su cabeza un turbante negro.

El hombre se levantó del lugar donde había estado agachado cuidando una tetera en el fuego.

—He matado una leona —dijo orgulloso el americano— y quiero que me tomes una foto con el animal.

Luke O'Connor entró en la carpa y abrió el estuche de metal donde guardaba su cámara. Arrastró a la leona por las patas traseras hasta que quedó tendido con el desierto como fondo.

Luego preparó su cámara y enseñó al saharaui a usarla.

—No muevas la cámara y presiona lentamente el disparador.

Mientras tanto, se acercó al animal muerto, colocó su bota sobre el cuerpo y echó hacia atrás su sombrero de tal manera que su cara se podía ver nítidamente. El rifle atravesaba su pecho, en bandolera.

Le sonrió a la cámara. Era un hombre barbudo, de aspecto robusto, de unos 45 años y ojos celestes e hinchados.

Tenía despellejados la nariz y los antebrazos.

—Ahora puedes disparar.

El sudor le corría por los ojos y por la cara. Entre foto y foto tenía que secarse con las mangas de la camisa.

—Una vez más. Y no muevas la cámara.

Luke O'Connor dejó a Sidi Brahim sacarle un rollo de fotos completo de él y de su primera leona. En cada foto la posición del arma era distinta. Lo único que mantenía igual era su pie sobre la cabeza de la leona. Cuando se le terminó el rollo entró a la carpa para buscar más, sacando fotos de cerca a la leona muerta. En total sacó tres rollos de fotos. Estaba muy orgulloso porque sólo necesitó tres disparos para matarla.

Sidi Brahim, experto en huellas, informó en tono muy suave que el té estaba listo.

Luke no quería sentarse agazapado junto al fuego, por eso le dijo al saharaui que sacara su mesa de camping y su silla de la tienda. Mientras O'Connor disfrutaba de la imagen de la leona muerta, Sidi Brahim bebía su té en cuclillas.

Cuando los dos habían terminado de beber su té, Luke tomó su cámara y la guardó en su estuche. Guardó la llave en el bolsillo; sabía que no podía confiar en la gente de estos lados. Eran tan ladrones como los cuervos. Eso lo sabía todo el mundo.

Toda la tarde estuvo dedicada a pelar al león. Sidi Brahim, buscador de huellas, fue el que realizó estas tareas mientras el americano desde su silla dirigía el trabajo.

El calor era insoportable. Estaba empapado en sudor; pero no podía meterse en la tienda a la sombra y dejar al árabe tan importante trabajo.

Su primer león. Por supuesto disecaría a la leona cuando regresara a casa. Sería su primer trofeo africano. Si es que la conservaba. La leona tenía la melena inusualmente oscura y unas imponentes garras. Se podría tratar de un león del Atlas, especie prácticamente extinguida. Y si fuera así, recibiría mucho dinero en Estados Unidos. Quizás la podría vender a un museo, o a un coleccionista privado.

—Tiene un cachorro —dijo el saharaui. Era la primera vez que el árabe se expresaba espontáneamente desde que O'Connor lo había contratado como guía en la capital de Mauritania—. El cachorro recién dejó de mamar.

—Lo sé —dijo Luke O'Connor, que en realidad no sabía nada. Estaba un poco enojado consigo mismo porque no se le había ocurrido primero a él mirarle las tetas.

De todas maneras estaba feliz. No había pensado solamente en matar animales, quería también atrapar unos vivos. Una leona muerta y un cachorro vivo no eran mal negocio. Además, si el cachorro fuese un león del Atlas, podría venderlo a uno de esos zoológicos que sólo tienen especies en peligro de extinción. Sospechaba que con sólo esa venta podría cubrir el costo de toda la expedición.

Para festejar el gran día abrió una nueva botella de Johnny Walker y se sirvió una generosa medida del dorado whisky. Saboreó el primer trago; tibio, pero sabroso. Si tuviera un poquito de hielo... ¿Le convidaría al árabe? Claro que no, hombre, él era musulmán y los musulmanes no toman alcohol.

—Salud —le dijo de todas maneras a Sidi, y levantó el vaso.

Lo que más le envidiaba al árabe no era la habilidad con que había desollado a la leona y había preparado su cabeza. Lo que más le envidiaba era que no transpiraba. En cambio él sudaba tanto que tuvo que entrar a la tienda y cambiarse desde las medias hasta los calzoncillos, más la camisa.

A última hora de la tarde el saharaui estaba listo con su tarea. El americano le ordenó tirar la carne del león en la parte de atrás del jeep.

—Vamos a poner la carne y las tripas del león cerca del lugar donde yo le disparé. De esa manera vamos a atraer muchos animales. Así hacemos en Montana. Yo he matado cientos de zorros utilizando ese método. Voy a dispararles a los animales que vengan a saborear la carne de la leona. Además, de esa manera atraeremos al cachorro del león. Tú puedes sacar la trampa de la tienda y colocarla en el vehículo.

Luke O'Connor saltó y se ubicó tras el timón. Sidi Brahim se sentó a su lado. Estaba en silencio mientras Luke conducía el jeep por esos irregulares caminos. El jeep saltaba y se sacudía. Quizás conducía demasiado rápido, pero un día como este no se fijaría en la velocidad.

—Deténgase –murmuró el saharaui. Cuando el jeep se detuvo, saltó del asiento delantero y una vez en el piso se agachó para investigar las huellas que tenía delante. Cuando se subió nuevamente al jeep, le dijo con esa manera tan suave que tenía de hablar:

—Ocho camellos, tres machos, dos de ellos castrados, el resto son hembras. Pasaron ayer por aquí y tomaron el camino que va al sur. Uno de los hombres va a pie y él no le reza a Allah cinco veces por día.

Luke soltó una carcajada. Era lo más absurdo que había escuchado. Era cierto, en Atar y en Nouakchott, la capital de Mauritania, le habían dicho que si quería tener un buen experto en huellas, tendría que contratar a Sidi Brahim, el mejor experto en huellas de todo Sahara Occidental.

—Estás fantaseando. Nadie puede ver por sus huellas si alguien reza o no.

—Yo puedo —dijo Sidi Brahim sin añadir más.

Los dos hombres callaron hasta que el saharaui levantó el brazo y señaló hacia la derecha. Luke O'Connor frenó bruscamente y el experto en huellas saltó nuevamente del jeep, se alejó un poco y vio algo en la arena.

Eran huellas de un animal.

—Una gacela —dijo Sidi Brahim—. Una hembra. Pero ahora ya está lejos. Pasó por aquí en las primeras horas de la mañana.

Esta vez Luke O'Connor no se rio a carcajadas, como hubiese querido.

La última vez que lo había hecho, se dio cuenta que había ofendido a su guía. Ahora trataba de tener más cuidado. Sin embargo para sus adentros, O'Connor se reía. 'Ridículo' —pensó. Él, que había cazado alces y venados allá en casa, sabía que era imposible detectar por las huellas si se trataba de un macho o una hembra.

Ya de vuelta en el jeep, le entró la curiosidad. Sidi le había despertado la curiosidad a Luke.

—Cuando yo pregunté por un experto en huellas allá en Mauritania, todos te nombraron. Algunos dijeron que más que un experto en huellas, eras un verdadero detective del desierto. Y contaron algo sobre una escuela, que yo no entendí.

—Sin duda que soy un detective del desierto —dijo Sidi Brahim y su voz se escuchó más alegre—. He resuelto montones de casos. 118 para ser más preciso. El de la escuela fue este año. Hace un tiempo decidí que quería vivir en una ciudad, estaba cansado de deambular por el desierto. Por esa razón busqué trabajo como cuidador en una escuela. Todos los maestros habían escuchado hablar sobre mí. Todos sabían que yo era un detective del desierto. La cuestión es que cuando entró un nuevo director y le contaron sobre mí, dijo: "no lo creo".

Personalmente él no sabía nada al respecto. Era una escuela muy grande en la periferia de la ciudad.

Los maestros querían demostrar que yo era realmente un detective del desierto. Tomaron un balde, lo llenaron de arena y le pidieron a dos maestras que estamparan las huellas de sus zapatos en la arena. Luego me llamaron. El director estaba presente y presenciaba todo con bastante desconfianza.

Enseguida dije los nombres de las personas que habían estampado sus huellas.

El director se rio, como tú lo hiciste recién y dijo que lo que había hecho no era ninguna ciencia. Seguramente yo ya reconocía, me dijo él, las huellas de las suelas de los zapatos que llevaban las maestras.

La escuela tenía 700 alumnos. Para convencer al director, los profesores le pidieron a un alumno que en el patio —cuyo piso era de arena— marcara su huella, pero esta vez sin zapatos. Luego me llamaron.

—¿Qué tipo de huella es esta, me preguntaron?

—Es huella de un niño, de más o menos ocho años —dije—. Su piel es extrañamente clara y sus orejas son muy grandes. En el recreo se lo puedo señalar.

Y eso hice. Entonces el nuevo director se convenció.

—Interesante. Ahora cuéntame de algún caso que hayas resuelto —pidió el americano, que tomó un trago de la botella que tenía a su lado.

—La mayoría son casos de camellos robados. Yo preciso ver las huellas de los camellos una sola vez, para reconocerlas posteriormente. Yo sigo las huellas y encuentro el camello. Una vez que yo estaba en Mauritania, hubo un robo en una ferretería por la noche.

El ladrón se había introducido por la ventana y había salido con el dinero por el mismo camino. Debajo de esa ventana había una huella muy clara de su zapato.

La policía llamó a tres detectives. Dos eran de Mauritania, el tercero era yo.

El primero miró la huella y dijo:

—El ladrón era moreno.

El segundo miró la huella y dijo:

—Se trata de un artesano.

Mientras tanto, como la herrería quedaba al lado del mercado, se había juntado mucha gente a nuestro alrededor.

Cuando me tocó a mí descifrar las huellas pregunté:

—¿Por qué no prenden al ladrón? Es aquel hombre de azul.

La policía finalmente prendió al hombre de azul que al interrogarlo, reconoció el robo.

—Una buena historia —dijo el americano—. La voy a contar cuando vuelva a Montana. Aunque en realidad no te creo una palabra de todo lo que has dicho.

—¿Cómo puedes tú por ejemplo a través de una huella determinar si es macho o es hembra, o saber por ejemplo si un hombre reza o no?

—Yo no lo puedo explicar realmente —contestó el saharaui muy serio—. Así nací. No se puede enseñar. Muchos han querido que yo les enseñe, pero siempre les he respondido: no lo puedo enseñar. Cuando yo veo la huella de una persona o animal, puedo ver la cara de esa persona delante de mí y veo si es casada o no, o puedo ver si ella o él son buenos musulmanes. Simplemente es así.

Ahora Luke no pudo contenerse por más tiempo. Esa carcajada que tenía apretada durante un tiempo, se abrió paso. Fue una enorme y contagiosa carcajada, pero Sidi Brahim no lo entendió así. El americano se rio de tal manera, que un hilo de saliva le corría por la comisura de sus labios. El experto en huellas y detective del desierto apretó su negro turbante, miró fijamente hacia adelante y no dijo nada más.

El jeep se movía y saltaba por encima de matas, piedras y pequeñas dunas. Luke no tuvo problemas en encontrar el camino, sólo tenía que seguir las propias huellas del jeep. Cuando llegó al lugar donde mató a la leona, se detuvo y le dijo al árabe que dejara los restos del animal en la tierra. El americano tomó la trampa, le colocó un gran pedazo de carne de león y la ubicó un poco más lejos. Luego se tendió atrás de un pequeño montículo. Desde ahí podía observar lo que pasaba con la carne.

Cargó su arma.

Pasaría allí toda la noche. Sabía que por la noche los animales del desierto se volvían más activos. Habría luna llena; por lo tanto no tendría problema para ver su presa.

El Sol comenzó a esconderse en el horizonte, el calor y la luz comenzaron a desaparecer. El americano comenzó su larga espera. Esperaba poder cazar algún animal por la noche. Pero más que nada quería que el león cachorro cayera en la trampa. La idea no era matarlo, sino cazarlo vivo.

Luke O'Connor vio al detective del desierto Sidi Brahim arrodillado en la arena con el cuerpo hacia la Meca, rezando sus oraciones nocturnas. Cuando terminó sus oraciones, se introdujo en el jeep dando un estruendoso portazo.

ana-Buluka

A la distancia, Hadara pudo distinguir una nube de cornejas y cuervos. Arriba los buitres volaban en círculos sobre algo que estaba en la tierra. Instintivamente Hadara se dio cuenta que tenía que regresar. Debió haberse ido corriendo de ese lugar. Sin embargo algo se lo impedía, algo lo atraía hacia aquel lugar.

Un avestruz asustado trata de hacerse lo más invisible posible. A veces ellos se echan con el largo pescuezo tendido sobre el terreno.

Hadara se echó en la tierra y levantó la cabeza con cuidado. No podía ver nada, sólo que las aves de rapiña bajaban volando y desaparecían de su vista.

El muchacho se incorporó con las manos y los pies y comenzó a arrastrarse hacia delante. Por alguna causa desconocida tenía miedo. Sentía que el vello de la nuca y de los brazos se le erizaba.

Algunos arbustos le impedían ver claramente. Sin embargo, un olor nauseabundo llegó hasta él. Cuando corrió las plantas pudo divisar un animal muerto con un enjambre de aves de rapiña picoteándolo.

No era nada nuevo. Había visto la muerte muchas veces. El miedo se le fue como se van las gotas de agua. Se paró y se dirigió hacia el lugar donde estaba el animal muerto.

A medida que se acercaba, las aves de rapiña iban desapareciendo. Lo último que voló fue un enjambre de zumbantes moscas.

El olor a podrido hizo que Hadara se sintiera mal, tenía ganas de vomitar; de todas maneras continuó. Lo que vio lo impresionó. Era carne, carne de animal, pedazos de animal.

Se trataba de un animal muerto. Pero este no tenía ni piel ni cabeza. Sólo carne, carne que empezaba a descomponerse. Carne y tripas. Hadara pudo ver por las huellas que los chacales habían incursionado ahí por la noche. Lo que no terminaba de comprender era qué les impidió terminar su misión, ya que los chacales no acostumbraban a dejar nada de sus víctimas. Algo los tenía que haber asustado. ¿Pero, qué?

Por segunda vez en el día, tuvo miedo. Seguramente se trataba de un león y seguramente estaba cerca. Miró alrededor y olfateó el aire. Miró el suelo, ninguna huella de león en las cercanías. Por otro lado detectó unas huellas muy extrañas, muy rectas, una vez más.

¿De qué se trataría?

Al lado de las huellas derechas, había huellas de dos personas.

El terror se apoderó de él nuevamente. Y esta vez era peor. Hadara corrió, pero corrió como los conejos del desierto cuando están aterrorizados: en zigzag. Al igual que los avestruces, trataba de ser lo más invisible posible; por eso corría con la cabeza baja. Corrió hacia una cosa grande y cuadrada contra la que se golpeó los dedos de los pies. El dolor era insoportable y lo dejó sin fuerzas. Pero lo peor era el sonido, un chasquido que venía desde la cosa metálica.

Hadara retrocedió unos pasos y pudo ver una cosa cuadrada con barrotes de metal. Adentro había un pedazo de carne. Y había huellas humanas alrededor.

Salió corriendo a fin de alejarse de la cosa que contenía un pedazo de carne.

Quería ir a su casa, pero recorrió un camino totalmente nuevo para él. Corrió dando la vuelta alrededor del pequeño lago.

Durante la noche Luke O'Connor le había disparado a un chacal. No sabía bien por qué. ¿Para qué querría él un chacal? Nadie tiene un chacal como trofeo. Para lo único que le podría servir era para atraer al león cachorro, que por cierto quería atrapar vivo.

Después que descansó, luego de la larga noche que pasó en vela esperando al león, subió al jeep y exhortó a Sidi Brahim —que por cierto estaba de muy mal humor— a realizar la misma labor. Y comenzó a conducir.

Estacionó lejos de la trampa y del cuerpo del león. Bajó del jeep, se trepó al techo y desde allí con los prismáticos pudo ver mejor. El cadáver del león estaba rodeado de pájaros. Pero cuando se dio vuelta y vio el lugar, ubicado entre dos matas donde él había colocado la trampa, vio que la reja había caído.

¡La trampa se había cerrado!

Luke saltó ágilmente desde el techo del jeep, tomó su arma y le quitó el seguro mientras corría. Ojalá que se tratase del león cachorro y ojalá que fuera un león del Atlas.

Cuando llegó a la jaula, se detuvo en seco.

Estaba vacía.

El trozo de carne estaba allí, pero la reja se había cerrado.

Alrededor de la jaula había huellas humanas.

—¡Oye, apúrate, ven acá! —gritó enfurecido a Sidi, que venía arrastrando los pies.

El americano señaló las huellas y preguntó:

—¿Qué es eso?

—Una persona descalza —contestó el experto en huellas.

—De eso me doy cuenta. Pero dime algo más: ¿cómo es su apariencia. ¿Cómo son sus orejas? ¿Es casado? ¿Reza?

Sidi Brahim callaba.

—Di algo ahora. Te has jactado diciendo que sólo con las huellas podías saber cómo era la persona.

—No esta vez –dijo Sidi Brahim de forma cortante y se fue de regreso a sentarse en el jeep.

El americano abrió la trampa y cambió la carne ya descompuesta del león por un pedazo de carne fresca de chacal. Otra vez armó la trampa. De esa manera, cuando un animal entrara, la reja inmediatamente caería.

Hadara corrió en zigzag hasta que perdió el aliento y tuvo que parar.

Además había llegado hasta un lugar con rocas altas al sur del pequeño lago. Aquí no se podía correr muy bien. Así que comenzó a trepar las rocas y recordó las montañas altas que había encontrado en cuyas cuevas había dibujos de avestruces y animales desconocidos con largos pescuezos, y una cueva entera repleta de huellas de manos en color rojo.

¿También habrá cuevas aquí? Hadara miró por una hendidura y para su sorpresa pudo ver un animal. Un animal cubierto de piel que no se movía. ¿Sería un cachorro de león muerto? Ese pensamiento lo dejó por un momento totalmente paralizado. Si la mamá estaba en sus cercanías, tendría problemas. Una de las cosas que había aprendido de los animales era que cuando tenían cachorros resultaban muy peligrosos.

Y los más peligrosos, eran las leonas.

Lentamente Hadar empezó a recular. Paso a paso, fue retrocediendo. En el momento en que salía de la hendidura, recibió una señal. El león cachorro señalaba algo que Hadara comprendió: "Mamá, mamá, mamá..."

Hadara continuó la retirada. Trató de hacerlo lo más silenciosamente posible. Si la leona venía, era el final para él. Pero al mismo tiempo, el cachorro estaba a punto de morir. Nuevamente percibió una señal, pero esta vez muy tenue, que decía:

—Agua.

Hadara corrió hacia el lago. Todo el tiempo miraba alerta hacia los costados. Allí abajo, cerca del lago, había dejado la mitad de una cáscara de huevo de avestruz. La acostumbraba usar cuando bebía. Llenó la cáscara y regresó, caminaba olfateando con cuidado y trataba de pasar desapercibido. A pesar del espeluznante recuerdo del encuentro con el león que estuvo a punto de atraparlo, volvió a la hendidura. Sus ojos estaban abiertos y temerosos. De todas maneras trepó hasta el lugar donde estaba el león, levantó su cabeza y le puso el agua debajo de su nariz. Se dio cuenta de que se trataba de una pequeña hembra. Pero el cachorro no bebía. Hadara levantó el cascarón para que de esa manera su nariz mojara el agua. Tampoco el cachorro abrió su boca. Su respiración era corta y agitada. Entonces Hadara pensó en sí mismo cuando estaba sediento. Se ponía el dedo en la boca y se lo chupaba. Fue lo que hizo. Introdujo su dedo en el agua y lo puso en la boca del cachorro. Entonces empezó a chupar. Y así lo hizo varias veces.

Finalmente le introdujo la nariz en el agua. El cachorro bebió toda el agua del cascarón, luego comenzó a ronronear.

—Soy Hadara —señaló el muchacho. Pensaba decirle que era un avestruz, pero después se arrepintió. No era un verdadero avestruz.

—Yo soy Nana-Buluka —le dijo el cachorro—. Mi mamá está afuera. No entiendo por qué no ha regresado.

—¿Tienes hambre?

—Sí, mucha. Mi mamá acostumbra traer comida, aunque yo puedo cazar solo. Ella me ha enseñado. Puedo cazar ratones del desierto, conejos y pájaros.

—¿Y te gustan esos lagartos grandes de color negro?

—Son muy sabrosos.

—Yo conozco el lugar en donde ellos tienen sus hoyos.

Hadara fue al pequeño lago en compañía del león cachorro, Nana-Buluka. Se lamentaba por su mamá, sin embargo bebió agua con fruición.

Cuando Hadara le mostró los agujeros donde tenían sus nidos los lagartos negros, cavaron juntos hasta que el pequeño león logró atrapar uno y se lo comió.

Después de eso se puso a jugar, tratando de morder los dedos de Hadara. Se fueron para donde los avestruces. Hadara recogió un palito del suelo y el cachorro se fue con él mordiendo el palo.

Cuando llegaron a la cima de una duna, Hadara se tiró rodando. Su nuevo amigo hizo lo mismo. Por fin había encontrado un compañero de juegos, dispuesto a hacer esas cosas que a los avestruces no les gustaba hacer.

El muchacho estaba tan impaciente por presentarles su nuevo amigo a los avestruces que había olvidado el pánico que sentían ellos por los leones, máxime ahora que tenían nuevos pichones.

Un león cachorro bien podría matar y comer un pichón de avestruz. Sin pensarlo demasiado condujo a su nuevo amigo hacia donde estaban los avestruces.

Papá Hogg estaba con los pichones. Mamá Makoo estaba echada en el nido, empollando.

Tan pronto como Makoo vio al león cachorro, se incorporó rápida y enérgicamente. Para distraer al león del nido donde estaban los pichones, fingió estar herida. Cojeaba y dejó caer una de sus alas, como si estuviese rota. Dio vuelta la cabeza y le envió una rápida mirada al cachorro y cojeó hacia un pequeño arbusto. Su ala ahora estaba más caída.

Mientras Makoo fingía estar lastimada, el macho iba hacia el otro lado, zigzagueando como si fuera un crucero. Sus pasos eran fuertes y decididos. Cada tanto se paraba, bajaba la cabeza y aleteaba. Hogg tenía que arrear a 19 pichones.

Para sus adentros, Hadara se reía. Era una risa callada ¡qué ridículos eran sus padres avestruces! ¡Se veían tan cómicos!

El muchacho se sentó y dejó que el león cachorro se trepara por sus rodillas y le mordisqueara sus manos. Los avestruces se mantenían al margen. No volvieron hasta que Hadara logró que el cachorro se fuera a dormir a su propia cueva.

Tanto Makoo como Hogg y los otros avestruces le manifestaron a Hadara su rabia e hicieron algo que nunca le hacían al muchacho. Lo mordisquearon con sus picos duros. Entonces él comprendió que había hecho algo imperdonable.

Esa noche no se cobijó al abrigo de las plumas de los avestruces, sino que durmió a unos metros de ellos recostado a un árbol.

Se sintió muy solo.

apturado

Al alba, los avestruces se levantaron, se sacudieron las alas y comenzaron a pastar. Ninguno de ellos miraba a Hadara.

Para que sus padres mejoraran su humor, les dijo:

—Si quieren puedo llevar a los pichones al lago para que tomen agua. Ya están lo suficientemente grandes para ir.

Después de lo que había pasado ayer con Hadara y el león cachorro que había traído, los papás avestruces se sentían un poco inseguros. ¿Qué inventaría ahora? ¿Quizás algo peor?

Por esa razón los avestruces decidieron abandonar el nido para acompañar a los pequeños al lago, lugar que visitarían por primera vez en su vida.

Los pichones de avestruz aprenden a través de la imitación. Por eso, cuando los adultos formaron una fila, los más pequeños hicieron lo mismo.

Al llegar al lago, los adultos se metieron en el agua y las crías los imitaron. Cuando los padres comenzaron a beber, las crías también lo hicieron.

Introducían la cabeza en el agua, enderezaban el cuello, tragaban el agua y agachaban la cabeza de nuevo. Esta operación la repetían una y otra vez.

El único que no se comportaba de la misma manera era Hadara, que se sumergía en el agua y nadaba.

Mientras Hadara chapuceaba en la mitad del lago, se dio cuenta que uno de los pichones no estaba junto con los otros tomando agua.

El pichón que faltaba, muy decidido, trotaba alrededor del lago. Y trotando se acercaba a ese lugar tan peligroso, que Hadara ya conocía, donde estaba la carne y donde había cientos de peligrosos pájaros.

Hadara, con movimientos bruscos y rápidos, alcanzó la playa. Era muy consciente de que cerca de la carne bien podría haber chacales o hienas. En todo caso habría hordas de cuervos y aves de rapiña que matan a los pequeños avestruces.

Se le formó un nudo en el estómago. Cuando Hadara fue en busca del pichón, sentía pequeños pinchazos en las manos. Tomó dos piedras, una en cada mano.

Igual que el día anterior, el lugar donde estaba puesta la carne estaba repleto de pájaros. Arrojó las piedras, las aves volaron dando gritos feroces, pero el pequeño avestruz no se detuvo. Pasó al lado del montón de carne y corrió con enorme velocidad hacia la colina. Hadara lo persiguió. Desde arriba pudo ver las huellas de dos humanos y una botella de vidrio vacía, a pesar de que no sabía de qué se trataba. Lo que sí sabía era que el pequeño iba derecho hacia la cosa cuadrada que había visto ayer.

Era una trampa. Pero Hadara tampoco lo sabía.

El avestruz entró en la trampa. El olor de la carne que salía desde adentro era tentador. Un vez que entró en la trampa, la reja se cerró estrepitosamente.

Hadara sacudió la jaula, pero no pudo liberarlo. El pichón estaba atrapado detrás de una reja muy gruesa. Su pequeña cabeza asomaba, se veía abatido y desconcertado. Hadara estaba a su lado, perplejo, no tenía la menor idea de cómo resolver la situación. Un gruñido lejano hizo que Hadara saliera corriendo y se escondiera tirado bocabajo. Desde el suelo pudo observar a dos hombres que venían bajando una de las colinas; uno muy grande, con botas de cuero, el otro con una amplia túnica y con sandalias.

Levantaron la jaula, con el pichón de avestruz adentro, lo llevaron al jeep y arrancaron.

De lo que ellos no se percataron, era de un muchacho, desnudo, con el cabello largo, que corría tras el vehículo. El jeep se movía muy rápido y el muchacho comenzó a rezagarse. Pero como Hadara podía reconocer las huellas del vehículo y su olor tan particular, siguió corriendo ininterrumpidamente. A su paso levantaba una pequeña nube de arena roja.

El cazador Luke O'Connor estaba muy contento. El día había sido muy provechoso. No había podido atrapar ningún león cachorro, es cierto. Pero un pichón de avestruz del Sahara no era poca cosa. Seguramente lo iba a poder vender bien.

O'Connor estacionó el jeep delante de la tienda, dio la vuelta y abrió la puerta trasera del vehículo para sacar la jaula con el pichón de avestruz. El cazador se preguntaba cómo haría para que el ave sobreviviera. Y a pesar de que no quería quedar como un ignorante, tuvo que preguntarle a Sidi Brahim:

—¿Qué le daremos de comer?

El hombre, callado como de costumbre, abrió la reja de la jaula, tomó al pichón entre sus manos y lo depositó muy despacio en el piso. Antes de realizar esta operación había atado una cuerda a la pata del avestruz y el otro extremo a un puntal de la carpa. Después de un rato de desconcierto, el pequeño comenzó a picotear en la tierra. Engulló pequeñas piedras, rasguñó unas raíces y unas hojas verdes.

Luke O'Connor se sentó en una silla reclinable con los pies estirados; abrió una nueva botella y le pidió a Sidi Brahim que empezara a preparar la cena. La noche anterior había matado una gacela. Por eso su guía del desierto preparó una comida con carne de gacela y arroz, y por supuesto el infaltable té.

Después de comer, el cazador se quedó sentado observando a la luna levantarse del horizonte como un enorme plato luminoso que arrojaba luz blanca sobre el paisaje.

Sidi Brahim colocó una alfombra roja sobre la arena y se dispuso a dormir. Tapó su cuerpo y cabeza con una tela y se durmió. Pronto se oyeron sus ronquidos.

El americano también se había dormido. El único que no dormía era el pequeño avestruz, que tiraba y tiraba para zafarse de la cuerda que lo tenía preso. El fuego ardía todavía y su resplandor hacía del campamento un lugar más cálido.

Esta escena fue la que vio Hadara, un Hadara extenuado que no comprendía bien de qué se trataba lo que estaba viendo.

Lo primero que vio fue el jeep. Luego vio al extraño hombre durmiendo en su silla con la boca un poco abierta. También observó el bulto que estaba sobre la alfombra roja en la arena y la piel de una leona grande que colgaba sobre la tienda. Por último vio al pichón de avestruz, que era donde se iba a dirigir, pero frenó en seco ante la visión de la fogata. Estaba ante la presencia de algo caliente, luminoso y vivo. Sabía que había visto algo parecido anteriormente. Así que se acercó y puso una mano en el fuego. El dolor fue tan grande que al sacar la mano, dio vuelta una mesa. El hombre que dormía en la silla despertó, frente a él estaba un muchacho tembloroso, desnudo, con el cabello largo, parado frente al fuego.

El americano trató de incorporarse, pero se tambalea-
ba demasiado. Lo único que pudo ver fue al muchacho
desnudo que emitió un siseo y salió corriendo; en sus
brazos llevaba al pichón de avestruz. Intentó perse-
guirlo pero estaba tan borracho y trastabillaba tanto
que finalmente quedó tirado en el piso y se durmió.

La huida

Nunca en su vida Hadara había corrido tanto. El pichón de avestruz seguía en sus brazos, pero su cabeza colgaba floja hacia un costado. No podía estar muerto.

Todo lo que había vivido durante las últimas horas, le daba vuelta en su cabeza como una tormenta de arena.

La mano que había tocado el fuego le dolía y le ardía. Nunca había sentido un dolor igual. Ni siquiera las garras del león en su muslo se le podían comparar.

Mientras corría pensaba en todo lo que le había pasado: el jeep con la jaula con el avestruz; él que había corrido tanto que parecía que los pulmones le iban a estallar. Luego la tienda, que no se veía igual a aquella que había encontrado abandonada cubierta de arena. Ésta era verde. Y afuera había un hombre sentado, durmiendo. Recordaba horrorizado la piel de león colgada en la tienda y el frío que recorrió su cuerpo al comprender que esa piel debía pertenecer a la madre de Nana-Buluka. Ella estaba muerta y Hadara estaba convencido de que había sido el hombre de la silla quien la había matado. En ese momento el muchacho hubiese querido correr, desandar el camino. Pero entonces, vio el pichón de avestruz. No dormía; estaba parado, tirando de la cuerda que lo mantenía sujeto, mirando para un lado y para otro con aspecto triste. También vio esa cosa grande y luminosa. El calor y las llamas le recordaban algo. Y la visión del fuego lo atrajo, sintió una inexplicable alegría y se acercó. Sintió la ola de calor. Cuando acercó su mano al fuego para sentir el calor, la sorpresa, la desilusión y el dolor fueron tan grandes que emitió un terrible y sordo grito.

Su siguiente recuerdo, después del dolor, era el hombre que se levantaba.

Hadara le siseó al hombre y corrió hacia el pichón de avestruz, lo levantó, lo tomó en sus brazos y corrió con él hacia el desierto, donde la luna ya estaba bien arriba y con su luz blanca lo iluminaba todo. Esa luz era tan potente que nadie podía esconderse. Tenía que continuar, más rápido. Corrió tan lejos como le fue posible. Cuando se le terminó el aire en los pulmones, el muchacho se desplomó. Se miró las manos, la piel se le había quemado y le ardía, vio la carne enrojecida, pero lo peor era el pichón. El pichón estaba quieto entre sus brazos. ¿Estaría muerto? ¿O estaría fingiendo?

Los pichones de avestruz tenían una manera de defenderse cuando estaban en peligro. Ellos quedaban inertes y daban la sensación de estar muertos.

Hadara lo levantó, lo apretó contra su corazón y comenzó a acariciarle el cuello muy suavemente.

El avestruz levantó la cabeza y enderezó el cuello. Estaba muy bien.

Hadara estaba consternado. Con esa luna tan fuerte cualquiera los podría distinguir, incluso a una gran distancia; pero nadie venía detrás. Cuando se levantó, se dio cuenta de que ya no tenía la fuerza para correr, así que tomó entre sus manos al pichón y empezó a caminar el largo camino de regreso.

Nunca en su vida se había sentido tan desconcertado. Hasta ahora su vida había sido muy sencilla, fácil de entender. Sin embargo ahora sentía que no entendía nada. Por supuesto que estaba orgulloso de haber salvado al avestruz, como seguramente lo estarían Makoo y Hogg. Es más, con eso seguramente olvidarían aquello tan imperdonable, como lo fue el hecho de llevar consigo al león cachorro. Ese pensamiento lo llevó a pensar en el pequeño león. Tendría que encontrar a Nana-Buluka para contarle que era huérfano y que había hombres peligrosos en el lugar.

Nana-Buluka dormía, pero se despertó con un pequeño gruñido. No era nada espectacular, pero era lo mejor que podía hacer.

Cuando respiró pudo percibir el olor de la persona que estaba afuera de la grieta, a la luz de la luna.

Era el niño avestruz, cuyo nombre era Hadara.

—¿Qué te pasó en la mano? —fue lo primero que le dijo el león.

—Los humanos capturaron a un pichón de avestruz y yo fui a rescatarlo. Había una cosa roja y amarilla afuera de su carpa, que tenía vida. No tengo idea cómo se llama. Solamente que despedía calor. Al tocarlo me hizo daño.

—Seguramente se trataba de fuego —dijo el león.

Mi mamá me ha advertido acerca del fuego. Ella me contó que una vez, en la entrada de una cueva unos humanos prendieron una fogata y le arrojaban ramas encendidas. Mi mamá entonces saltó por encima del fuego y se quemó igual que tú. Por suerte no le pasó algo más grave. Por eso ella siempre me repite: "Cuidado con el fuego".

Hadara callaba; quería hablar de otra cosa, cambiar de tema. Entonces le dijo que los avestruces eran su familia y que a pesar de que él era un cachorro, les había impresionado mucho su visita y no querían que regresara. Al fin y al cabo era un león.

El cachorro dijo comprenderlo, ya que la mayoría de los animales odiaban a los leones. Por eso casi siempre están solos.

Lo otro que Hadara quería decirle era mucho más difícil. Finalmente le dijo:

—Vi a tu mamá allá lejos donde están los humanos. Está muerta.

Lo que no dijo es que vio su piel y su cabeza colgando de la tienda. Era demasiado horrible. Tampoco quiso contarle que había visto a un humano matar a un león, enterrarlo en un foso, cortarle la cabeza, esconderla y colocarle una piedra encima.

Hadara sospechaba que ese león era el papá de Nana-Buluka.

—No tiene sentido que sigas esperando —dijo—. Este lugar es peligroso. Está lleno de humanos. Y ellos son los seres vivos más peligrosos que hay. Te tienes que ir.

Cuando el león Nana-Buluka le indicó a Hadara que entrara en la grieta, este dejó al avestruz en el suelo y comenzó a trepar. Adentro estaba oscuro, pero el león le pidió que se acercara y que estirara su mano quemada. Entonces ella comenzó a lamerle la mano y a ronronear tan fuerte que la cueva pareció temblar.

Cuando la lengua áspera del león le rozaba la herida, el dolor era insoportable. Pero Hadara no sacó la mano porque se dio cuenta que el cachorro sólo quería ser amable.

El pánico cundió entre los avestruces cuando Hadara volvió con el pichón de avestruz sano y salvo y les mostró su mano quemada.

Ellos ya tenían 19 pichones pero todavía tenían huevos que empollar.

A pesar de todo decidieron abandonar el nido. Se trataba de salvar a los pichones y de salvarse ellos mismos. Hogg y Makoo sintieron que también se trataba de salvar la vida del propio Hadara.

Esa mañana los avestruces no bailaron, ninguno se sentía con ganas, sólo pastaron un rato antes de partir.

Tomaron el camino que conducía hacia el pequeño lago, que se había reducido bastante. Quizás sólo se trataba de un lago ocasional que se había formado después de la Gran Lluvia que ahora desaparecería.

Bebieron hasta saciarse. Hadara llenó de agua muchos cascarones de huevo de avestruz. Tantos como podía llevar en su tela. Luego comenzó a caminar.

Era muy duro tener que abandonar el lago. En ese lugar había agua y comida, pero también demostró ser muy peligroso.

Con los pichones, la caminata se hacía más lenta. Un largo camino a través del desierto.

La mano de Hadara estaba roja, hinchada y le dolía.

Comenzó a levantarse el viento y se formaban remolinos de arena. Los avestruces soportaban mejor la arena que él. Tenían largas pestañas que los protegían contra los remolinos de arena. Pero Hadara tenía que taparse los ojos con las manos o entrecerrarlos y simplemente cerrar la boca con fuerza para que la arena no se metiera en la lengua o entre los dientes.

Por suerte no se trataba de una verdadera tormenta de arena. Sólo se trataba de remolinos de arena que cubrían sus huellas.

No tenían idea de la suerte que estaban teniendo.

Luke O'Connor, el americano, despertó cerca de la carpa, con un intenso dolor de cabeza. La lengua era como un pedazo de suela dentro de la boca. Sin embargo se sentía rebosante de energía.

Había visto algo único.

Había visto un muchacho salvaje.

Todo el día el americano y Sidi Brahim condujeron el jeep buscando al muchacho. Luke O'Connor estaba radiante. Más radiante se puso cuando encontró las huellas del muchacho con los avestruces, que habían caminado un tramo muy largo con dirección al oeste.

El americano fotografió las huellas y las siguió. Pero una suave tormenta de arena cubrió todas las huellas y perdieron todo contacto con el muchacho y los avestruces.

A pesar de eso, regresaron al campamento, juntaron todo, lo cargaron en el jeep y volvieron a buscar al chico durante una semana.

Hacia el fin de semana, Luke O'Connor todavía estaba radiante. Había visto un muchacho salvaje que vivía con un grupo de avestruces. Un auténtico Tarzán. Un Mowgli de verdad.

Dentro de muy poco abandonaría el desierto con un solo trofeo: la piel de un león del Atlas. Sin embargo había vivido algo mucho más importante: con sus propios ojos había visto un muchacho salvaje y había fotografiado sus huellas. El admirado y reconocido experto en huellas Sidi Brahim, se negó a hablarle de esas huellas. Era un incapaz al que no volvería a contratar cuando regresara al desierto. Porque Luke estaba convencido de que él iba a volver. Tal vez dirigiendo una expedición de *National Geographic*. Ya se veía en las tapas de las revistas junto al muchacho salvaje capturado.

Otra variante atractiva era la posibilidad de que firmara contrato con una productora de cine que lo regresara al mando de un equipo de filmación. El film se llamaría: *La caza del muchacho salvaje*. Se vendería como pan caliente en el mundo entero. Y las editoriales harían cola para editar su libro: *Cómo encontré al muchacho salvaje*.

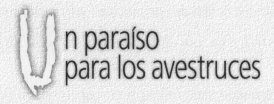

Un paraíso para los avestruces

El nuevo lugar que los avestruces encontraron había sido alcanzado también por La Gran Lluvia. Los árboles tenían hojas y había arbustos de color verde y flores amarillas, rosadas y blancas. También había unas especies de melones, de esos que le gustaban tanto a Hadara.

Lo que faltaba en ese lugar era un lago o un estanque de donde se pudiese tomar agua. De todas maneras los avestruces se quedaron allí. La comida era abundante y también el rocío. Los avestruces se despertaban temprano y comían las plantas mientras aún estaban húmedas. Hadara iba de planta en planta lamiendo las pequeñas perlas de rocío que habían quedado en las hojas.

Esto fue suficiente durante algunos días; luego comenzó la sed y empezó a chuparse el dedo pulgar como solía hacerlo cuando tenía mucha sed.

Hadara extrañaba el agua y extrañaba al cachorro juguetón.

Los pichones de avestruz no eran buenos compañeros de juegos. Lo único que ellos encontraban divertido era correr. A veces corrían a gran velocidad. Hadara les seguía el ritmo mientras podía. De todas maneras sabía que dentro de pocos días ellos lo adelantarían.

Los recién nacidos estaban más lindos ahora. Sus plumas habían crecido y eran suaves.

A menudo, cuando ellos corrían por el desierto y quedaban atrapados en los arbustos espinosos, muchos pichones encontraban la muerte. Eso no pasaba en el grupo de ellos.

—¡Hadara! —gritaba Hogg siempre que pasaba eso. Y allá iba Hadara, que usaba sus manos y sus diez dedos para liberarlos de las afiladas espinas.

Akuku, el pichón que Hadara había liberado de la trampa montada por los hombres, era el que más a menudo tenía problemas.

A medida que pasaba el tiempo, Hadara se sentía más débil y más sediento. Ya no le alcanzaba con las gotas de rocío.

Una mañana, después de que ya había tomado las gotas de rocío, salió a dar un paseo. En el camino encontró finalmente un manantial. Pero el manantial lo llenó de ira. A su alrededor encontró huellas de camellos.

Y de cabras.

Y de corderos.

Y de humanos.

Estuvo largo rato tirado boca abajo en lo alto de un montículo, mirando el manantial.

Sólo había pequeños pájaros que acudían allí para beber.

Después de horas de soportar la sed, el muchacho se atrevió a ir hasta el manantial a beber.

Con el agua le volvieron las fuerzas. Hadara corrió velozmente hasta que llegó donde los avestruces.

A pesar de explicarles que el manantial era un lugar sumamente peligroso, por la presencia de humanos cerca, los avestruces querían ir hasta él de todos modos. Hadara incluso les explicó que allí cerca estaban esos horribles humanos que mataban leones y les cortaban la cabeza, que robaban crías de avestruz y, de alguna forma, les arrancaban la piel a los animales. Finalmente Hadara logró detenerlos a cambio de que él fuese cada tres días a conseguir agua para ellos.

El agua que traía el muchacho en los cascarones de avestruz vacíos era para los pichones. Los adultos bebían la que sobraba.

—Aquí nos quedamos —dijo Hogg—. Hay muchísima comida. Y una vez que Hadara se tranquilice, podremos ir todos hasta el manantial a beber por nosotros mismos.

—Un lugar maravilloso —dijo Makoo. Un verdadero paraíso para los avestruces. Aquí hay de todo. Plantas y pequeños insectos para comer. Yo creo que nos tenemos que quedar acá hasta que los pichones crezcan y puedan arreglarse por sí solos.

—Sí, realmente es un verdadero paraíso para los avestruces —asintió Hogg.

Hadara insistía en que ellos no se acercaran al manantial. Como habían acordado, cada tres días se daba una vuelta por el manantial para recoger el agua. Llevaba todos los cascarones de huevo de avestruz que podía cargar.

Antes de recoger el agua se escondía tras una piedra y espiaba. Cada vez que había huellas humanas, Hadara las observaba largamente.

Cuando las huellas eran de alguien que iba descalzo, ponía su propia marca y comparaba las dos huellas. De alguna manera sabía que estaba relacionado con esas cosas de dos piernas, una cara, manos y pies. Lo atraían y lo atemorizaban.

Cada vez que iba al manantial el miedo lo acompañaba.

¿Y si hubiese un humano allí?

¿Se atrevería a acercarse a ellos?

Hadara tenía muchas ganas de hacerlo.

Uno de los que llegó al manantial para que sus camellos bebieran fue el experto en huellas y detective del desierto, Sidi Brahim.

Este no sólo tenía la capacidad de detectar huellas en la arena, sino que además podía ver en su mente quién las había dejado.

Sidi Brahim se agachó y miró atentamente las huellas de pies desnudos que estaban estampadas en la arena. Sabía que ya había visto esas huellas. Pertenecían al muchacho salvaje; aquel que corría con los avestruces. Aquel que le robó el pichón de avestruz al americano.

Sidi Brahim lo había visto esa vez, a pesar de que no se lo dijo al americano. Miró intensamente esas huellas, cerró los ojos y vio al muchacho claramente frente a él: ojos negros y brillantes, una sonrisa ancha, cabellos largos y lacios de color negro, bastante enredados, eso sí. Estaba desnudo, su cuerpo era musculoso y quemado por el sol, sus pies anchos. Pudo ver también cómo el muchacho llenaba de agua los cascarones de avestruz vacíos. Luego los colocaba en una tela azul que anudaba y cargaba en su espalda.

Por último pudo ver al muchacho corriendo veloz y elásticamente.

El muchacho quizás tendría entre 12 y 13 años.

Las huellas le decían que no había estado allí solamente una vez, sino en varias oportunidades; que iba al lugar cada tres días.

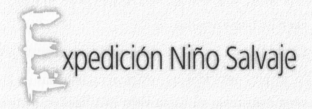

Expedición Niño Salvaje

Luego de varias cartas y conversaciones telefónicas, Luke O'Connor había logrado su objetivo; el jueves a las diez menos diez, estaba subiendo el ascensor del edificio de *National Geographic* en Washington, Estados Unidos. ¿Su objetivo? Reunirse con tres de los jefes de la publicación.

Mientras el ascensor subía, O'Connor se peinaba por última vez frente al espejo y se arreglaba la corbata. Todavía mantenía el bronceado que había logrado en su viaje por el Sahara. Vestía un traje color arena que le había costado bastante caro. Pero se conformaba pensando que lo utilizaría nuevamente cuando regresara de la expedición Niño Salvaje.

Después que la *National Geographic* le publicase el reportaje sobre su expedición, seguramente podría viajar por toda Norteamérica realizando conferencias sobre la búsqueda del niño que vivía con los avestruces.

Sin duda, recibiría una importante cantidad de dinero por esto.

Después de ese tour, estaría en condiciones de construir una casa de campo cerca de un lago en Montana, desde donde escribiría su libro sobre la expedición.

Cómo encontré al niño salvaje pensaba que sería un buen título para su primer libro.

Justo antes de que el ascensor se detuviese, utilizó un aerosol que sacó del bolsillo de su traje para mejorar el aliento. Apenas tuvo tiempo de guardar el envase antes de que las puertas del ascensor se abriesen.

Tres hombres serios lo esperaban en una habitación amueblada a la vieja usanza, repleta de mapas colgados en las paredes. Luke notó que ellos tenían sus cuatro cartas sobre el brillante escritorio de caoba.

O'Connor estrechó sus manos más fuerte que de costumbre para impresionar a sus interlocutores como un audaz aventurero y se sentó al otro lado de la mesa.

—Hemos leído sus cartas —dijo el hombre que parecía ser el jefe máximo—. Usted nos ha dicho que quería tener una reunión y que tiene pruebas de la existencia de un muchacho que vive entre los avestruces en el oeste del Sahara.

Luke O'Connor se inclinó, levantó el portafolio, lo puso sobre sus rodillas, lo abrió y de su interior extrajo un paquete con fotografías que entregó a los hombres.

Todas las fotografías representaban huellas en la arena. En todas se podía ver de forma más o menos clara, huellas tanto de avestruces como de unos pies humanos, descalzos.

Los hombres revisaron las fotos cuidadosamente. Cuando terminaron le pidieron a O'Connor que les relatara lo que había sucedido.

Luke O'Connor sentía que las mejillas le ardían. Este era el triunfo más grande de su vida, hasta ahora.

Él, que comenzó trabajando en una gasolinera en Montana, estaba acá dando una pequeña conferencia para tres directores de la *National Geographic*.

De una manera viva y utilizando el humor les habló sobre su expedición al Sahara.

Entre otras cosas les contó de la captura de la leona y sacó una foto donde él estaba con su pie sobre el animal muerto. Ahora sabía que se trataba de un león del Atlas, hecho que por cierto no mencionó. O'Connor no tenía clara la posición de la *National Geographic* hacia las especies en peligro de extinción, por eso eligió cuidadosamente una foto. Le parecía que en la foto se veía muy macho y no se veía que la leona tenía una melena oscura que indicaba que era un león del Atlas.

El americano comprobó con placer que los hombres se pasaban la foto y la observaban con detenimiento.

—El camarógrafo no era profesional —se apuró a decir—; sólo era un guía local que contraté. Sus camarógrafos seguramente tomarán fotos mucho mejores ya que son los mejores del mundo.

Los tres hombres callaron y lo miraban con sus impenetrables semblantes. Ahora comenzaría O'Connor la parte más importante de su relato.

Les contó sobre la trampa y de la sorpresiva huella de una persona alrededor de ella. Una persona descalza en el medio del desierto donde se sabe que no habitan personas. Es más, durante dos semanas no había visto beduinos ni caravanas por esa parte del desierto.

Continuó relatándoles acerca del día en que atrapó un pichón de avestruz en la trampa y que luego llevó al campamento. Les contó cómo ese mismo día un muchacho desnudo con cabellos largos y enmarañados entró silenciosamente al campamento y puso la mano en el fuego y que en lugar de gritar, sólo se echó para atrás, tomó al pichón de avestruz y se lo llevó.

Suponía que el muchacho nunca había visto el fuego, por eso fue que puso su mano en él. El muchacho si bien tenía la apariencia de un ser humano, erguido, demostraba una conducta totalmente salvaje y corría como un avestruz.

Cuando el relato llegó a su fin uno de los tres dijo:

—Hemos pedido a nuestros investigadores que seleccionaran material sobre casos similares, que por cierto hay muchos, de niños que fueron criados por animales, sobre todo en la India. También hay cuentos de Europa, pero ahí la cosa se complica porque no se sabe si tiene un atisbo de realidad.

La mayoría de los casos hablan de niños que fueron criados por lobos.

La historia más antigua se remonta a 1608 y la hallamos en *La Crónica de Essen*.

El relato es emocionante pero, en honor a la verdad, no muy confiable.

Este niño lobo tenía aproximadamente trece años cuando fue capturado. Era salvaje como un lobo, gruñía y mordía a todos los que se le acercaban. El niño lobo fue llevado a una hacienda donde naturalmente despertó la atención de la gente. Algunos creían que era un duende y que debía morir, otros en cambio decían que era una señal de que el fin del mundo se acercaba.

El muchacho no hablaba. Se refugiaba en los rincones y aullaba como un cachorro de lobo. Su cuidador intentó por todos los medios enseñarle a hablar, pero no hubo manera. Incluso se negaba a comer. Tuvieron que obligarlo a ingerir pan, avena y carne cocida. Según el cronista no pudo soportar un cambio tan violento en su dieta puesto que como lobo el muchacho lo único que había probado era la carne roja y murió rápidamente producto de afecciones estomacales.

Luke O'Connor no tenía idea que habían existido casos de niños criados por animales. Mucho mejor. Cuando escribiera su libro *Cómo encontré al muchacho salvaje*, también podría mencionar esas historias.

Los hombres hojearon sus papeles y dijeron que si bien las historias más comunes eran de niños criados por lobos también había niños criados por osos.

En el siglo XVII dos autores ingleses escribieron sobre un niño que había crecido entre los osos en el sur de Polonia.

El niño que fue encontrado entre osos, parecía tener unos once años. Era más oso que humano. Puesto que el muchacho andaba en cuatro patas, lo primero fue enseñarle a caminar erguido, cosa a la cual el muchacho se negaba. Para obligarlo a andar sobre sus dos piernas, lo ataron con una cuerda gruesa contra una pared. Allí el muchacho estaba parado durante horas cada día. Pero tan rápido lo desataban volvía a andar en cuatro patas como un oso. Cómo era su vida entre los osos, no se sabe. Además como nunca aprendió a hablar, tampoco lo pudo contar.

Lo cierto es que el muchacho fue muy famoso y muchos, incluso el rey acompañado de funcionarios importantes, fueron a visitarlo.

La cabeza de Luke O'Connor trabajaba a mil por hora. El muchacho avestruz también se transformaría en una celebridad. Ya se imaginaba paseando con el muchacho avestruz por toda Norteamérica. Pero tuvo que detener sus fantasías porque uno de los hombres comenzó a leer.

—Hay muchas historias de este tipo. Un muchacho en Irlanda estuvo encerrado con ovejas salvajes, otro con gacelas. Pero de ninguna historia hay documentación seria. No hay pruebas suficientes de que hayan sucedido realmente.

Luke O'Connor señaló triunfalmente las fotos que tomó de las huellas de pie humano en medio de una manada de avestruces.

Él sí tenía documentos que probaban lo que decía. No necesitaba decir más. Pero la prueba más contundente sería cuando liderara una expedición de la *National Geographic* que los llevaría hacia el muchacho salvaje en el desierto.

—Pero en ningún otro país hay tantas historias de niños que crecieron con animales como en la India —acotó el más joven de los hombres.

En el periódico *Times of India* se publicó un artículo de un niño que creció entre las babianas. El artículo apareció luego que el autor Edgar Rice Burroughs publicó su primer libro sobre Tarzán.

—Nosotros suponemos que la historia de Tarzán llevó a que algún periodista armara esa historia del niño que creció entre las babianas.

—Otra historia muy famosa de un niño que creció entre animales es el libro de Kipling, *El libro de la Selva* —continuó el hombre—. Kipling nació en la India y cuando culminó sus estudios en Inglaterra volvió a la India. Allí trabajó como periodista y la recorrió de punta a punta. Justo en ese tiempo las historias de niños que crecieron con lobos abundaban en los periódicos. Era finales de 1800. Sólo en una provincia de la India, según las estadísticas, hubo 100 niños que fueron robados por los lobos entre 1867 y 1873.

¿Cuánto había de verdad en esas historias? No se sabe. Lo que sí queda claro es que fueron fuentes de inspiración para que Kipling escribiera sobre el muchacho Mowgli en su *Libro de la Selva*.

—Hay algo común en todas estas historias —dijo el hombre mirando los papeles—. Ninguno de estos muchachos aprendió a hablar. Tampoco nadie logró arrancarles una sonrisa. La mayoría murieron agazapados en sus jaulas, retorcidos de miedo. Ninguno pudo contar sobre su vida entre los animales.

Cuando Luke escuchó esto, su humor mejoró todavía más. Su muchacho, su muchacho salvaje sin duda podría contar y qué sensación causaría.

El hombre de la *National Geographic* siguió hurgando en sus papeles. Tomó un pliego al azar y leyó en voz alta:

"La historia que más se ha escrito trata de dos niñas hindúes. Eso sucedió en 1920. Ellas notoriamente habían vivido con los lobos. Fueron recogidas por un pastor que se llamaba Singh, que trató de mantenerlas ocultas. Quería convertirlas en muchachas normales hasta que se pudieran casar. Pero eso no sucedió.

Amala, como se llamaba una de ellas, murió a la edad de cuatro años. Kamal, que tenía ocho años cuando fue capturada, vivió hasta los 17. Ninguna de las dos aprendió a hablar. Mordían a todo el que se acercaba y chillaban de forma penetrante, cazaban ratones y pájaros en los árboles, y los comían crudos.

Amala nunca aprendió a caminar erguida y pasó mucho tiempo antes que Kamal lo hiciera. Pero se notaba que ella prefería correr en cuatro patas con las yemas de los dedos sobre el suelo.

Hay muchas historias de ese tipo. Pero la conclusión de nuestra sección de investigación es que la mayoría de estas historias son inventadas, pura fantasía.

Ciertamente hay ciertos puntos de verdad en estas historias; sin duda hay niños que han vivido junto con animales de distintas especies.

Pero según la apariencia de los niños, se puede concluir en que no eran niños normales. Se trataba de niños abandonados, o autistas, o de niños que sufrían de esquizofrenia o de otros graves desajustes psíquicos.

Se piensa que los padres se dieron cuenta de que los niños sufrían algún tipo de enfermedad y simplemente los dejaron abandonados en el bosque.

Ninguno de los niños sobre los que se ha escrito, era, por decirlo de alguna manera, "normal".

—Pero el niño avestruz no se veía para nada abandonado —dijo Luke O'Connor con convicción. En realidad cuando él vio al muchacho estaba tan borracho que no recordaba su expresión. Lo único que recordaba era un cuerpo desnudo, una cabellera larga y enredada y él mismo tambaleando hasta caer de bruces en la arena y quedarse dormido.

—Él se veía inteligente y muy despierto —continuó el americano tratando de mostrarse muy convincente—. Seguramente el muchacho va a aprender a hablar. Piensen lo que sería si la *National Geographic* fuese la primera en publicar la historia de un verdadero muchacho salvaje, un Tarzán o un Mowgli, pero de verdad. Ustedes lo pueden seguir durante años.

Por supuesto él tendría que aprender inglés para poder contar cómo era su vida entre los avestruces. Lo mejor sería traerlo a América y educarlo aquí...

No alcanzó a terminar sus pensamientos cuando los tres hombres se levantaron, le agradecieron la visita y cuando le estrecharon la mano le dijeron:

—Nosotros nos quedamos con las fotos, tenemos su teléfono, así que lo llamaremos cuando hayamos resuelto algo. Recibirá la respuesta dentro de una semana.

Tres días después Luke O'Connor recibió la llamada que tanto esperaba. Durante ese tiempo había contado en todos los bares de la zona que dirigiría una expedición de la *National Geographic* al desierto y que regresaría a casa como una verdadera sensación, de nivel mundial.

—Le agradecemos la propuesta, pero no la podemos aceptar —le dijo el hombre del otro lado del teléfono—. Sinceramente no creemos mucho en la historia. La única prueba son las fotos de las huellas en la arena. Pero quién sabe si el muchacho y los avestruces iban juntos.

Los avestruces podían haber corrido a través del desierto y luego el muchacho eligió seguir su camino. Esas fotos no son ninguna prueba. No podemos invertir en una expedición con fundamentos tan poco sólidos.

Esa noche Luke O'Connor se emborrachó en el *Bar de Dixi* del bajo Manhattan. Al día siguiente contactó a una editora de películas sin mencionar el hecho de que la *National Geographic* no creyó en su historia y rechazó su propuesta. En lugar de eso, les dijo que la compañía de cine sería el único propietario de los derechos de la historia del muchacho salvaje. Además, en la parte de la historia que cuenta el momento en que el joven entró en el campamento, tocó el fuego y no emitió sonido, dijo que el muchacho había gritado en un idioma desconocido.

La compañía de cine aceptó su propuesta.

Después de una semana firmó el contrato. Luke O'Connor, según el contrato, lideraría la expedición Niño Salvaje.

El equipo de filmación saldría en un mes.

Encuentro con una vieja amiga

Hadara se despertó sobresaltado y se escabulló por debajo de las alas de avestruz que lo protegían. Lo hizo despacio para no despertar a Hogg ni a los pichones que dormían junto a él.

Le corría un sudor frío por la frente y sentía que su corazón latía con violencia. ¿Por qué sentiría tanto miedo?

Luego de unos segundos apareció de vuelta el sueño que lo había despertado.

En el sueño su familia avestruz y él se movían por un terreno muy llano. Primero venía Hogg, luego Makoo, más atrás él, luego los pichones y por último las jóvenes hembras. Hasta ahí el sueño no tenía nada de aterrorizador. Lo extraño comenzaba cuando los avestruces repentinamente comenzaban a correr. Había algo peligroso atrás que los asustaba. Él se dio vuelta y vio algo enorme, negro y amenazante que se acercaba cada vez más. Los avestruces corrieron a gran velocidad, pero él no los podía alcanzar. No podía correr tan rápido, mientras el terreno que pisaba se partía como arenas movedizas.

Cada paso implicaba un enorme esfuerzo. Los pies se hundían en la arena pegajosa de manera tal que le impedía avanzar. Era como si una fuerza lo quisiera retener en el lugar.

Esa cosa negra se acercaba más.

—¡Esperen! —les gritó a los avestruces.

Los avestruces le contestaron:

—No te esperamos porque no eres uno de los nuestros.

Y esa cosa enorme, negra, se acercaba cada vez más hasta que sus manos lo atraparon. Sentía que unas horribles manos frías y pegajosas tocaban su espalda.

Entonces despertó. Se vio obligado a dar vueltas en la mitad de la noche para ver si se tranquilizaba.

¡Qué sueño más raro! Sabía que era un sueño, que no era real. En la realidad los avestruces jamás lo abandonarían. 'Un avestruz es alguien en el que siempre se puede confiar', pensó el muchacho. Esto lo había aprendido viviendo con ellos.

Ya no se refugió de nuevo bajo las alas de los avestruces, sino que esperó acurrucado el helado amanecer mirando la salida del sol.

Luego de que todos habían comido, se habían tragado unas piedritas y habían bailado juntos, Hadara se fue solo.

Se había colgado el pedazo de tela en la espalda con los cascarones vacíos porque pasaría por el manantial. Como siempre, los avestruces lo quisieron acompañar y como siempre, él los detuvo diciéndoles lo peligroso que era. Como siempre, mencionó la posibilidad de encontrar humanos allí.

Atemorizado y esperanzado al mismo tiempo, corrió con pasos ligeros hacia el manantial. ¿Encontraría más huellas? ¿Habrían estado los humanos allí? ¿Y si se encontraba con ellos ahora?

El manantial quedaba en una hondonada, así que desde una colina cercana se podía ver todo. Hadara corrió entre los árboles en la cima de la pequeña colina, pero se detuvo en seco.

Como él estaba atrás del tronco más grueso, nadie que estuviera en el manantial, lo podía ver. Hadara esperó hasta que la respiración se le normalizara y se atrevió a sacar un poco la cabeza para mirar.

Entonces vio a los que acostumbraban a dejar huellas alrededor del manantial: un hombre y un camello. El hombre, que llevaba un turbante y una túnica muy amplia, conducía al camello hacia el agua. Todo el tiempo miraba hacia la tierra, incluso se arrodilló para ver más de cerca las huellas en la arena. Hadara sabía que eran sus huellas. Para su fastidio vio cómo el hombre comenzaba a seguir esas huellas, que lo conducían precisamente hacia su familia avestruz. El camello se había quedado junto al agua y ahora estaba pastando en los arbustos espinosos que había junto al manantial. Pero el hombre continuó su camino.

Hadara no sabía qué hacer. ¿Quizá debía correr hacia el hombre para detenerlo? O tal vez lo mejor era hacer como Hogg y Makoo cuando alguien está cerca de su nido; ellos fingen tener un ala rota y una pata renga.

¡Sí, por supuesto! Eso haría. Hadara correría, fingiría estar lastimado y luego iría en zigzag para confundir al hombre y llevarlo en otra dirección. El muchacho estaba por abandonar su lugar cuando pudo ver que el hombre volvía hacia el manantial.

Con mucho interés observó al hombre, que por cierto se parecía mucho a él mismo. Sin embargo, no se sentía identificado con él.

El humano se acercó al camello, lo hizo que se agachara, se subió y se fue cabalgando.

Hadara sintió de repente la imperiosa necesidad de recorrer el desierto en un camello. Se veía impresionante.

El hombre ya se había ido; sin embargo, a pesar de que Hadara estaba tan sediento que la lengua se le pegaba a la boca, todavía no se atrevía a salir.

Se trepó a un árbol que tenía largas espinas que lo lastimaron, pero no le importó. Desde lo alto podía ver si alguien venía. Un movimiento desde el otro lado del manantial hizo que quedara paralizado. ¿Qué era eso? Una pequeña nube recorría la superficie amarillo-gris del desierto. La nube se acercaba cada vez más. Hogg la podría ver mejor. Los avestruces tienen mejor visión que él. Hadara esperaba ansioso. ¿Serían más humanos? No, ahora pudo ver de qué se trataba. Era un grupo de gacelas. La mayoría corría como el viento y saltaban. Se dirigían directo hacia el manantial donde se quedaron, no sin antes observar en forma vigilante el entorno. Luego, alargaron sus hermosas y pequeñas cabezas y bebieron. Todas, menos una, que miraba hacia todos lados.

Hadara recordó a Dabi, la gacela. Seguramente no la reconocería. Todas se veían iguales. El muchacho bajó muy despacio del árbol y paso a paso se acercó a la manada.

No las quería asustar, por eso se quedó muy quieto hasta que se dio cuenta de que la gacela que dirigía el grupo ya había notado su presencia. Inmediatamente, como obedeciendo una seña invisible, todas dejaron de beber y lo miraron.

Entonces ocurrió algo increíble. La gacela líder, muy despacio, se encaminó hacia él.

Hadara estaba inmóvil, paralizado. No las quería asustar. Sin embargo hubiese querido sumergirse en el manantial para calmar su sed, que le quemaba la garganta.

La gacela siguió caminando hacia él, con sus delgadas patas y sus pasitos menudos. Era una hembra. Ella se paró ante él, bajó el cuello y refregó su nariz suavemente contra las manos del muchacho. Entonces Hadara comprendió.

—Dabi —le dijo.

La gacela le lamió la mano.

—Tengo una cría ahora —le dijo Dabi—. Pero la leche alcanza para ti también.

Una vez más en su vida Hadara volvió a probar la dulce y tibia leche de una gacela. Se enteró de que el grupo se quedaría en las inmediaciones ya que aquí había agua y pasto suficiente.

Dabi le dijo que le contaría al grupo que él no era un enemigo, al contrario, era un amigo que la había salvado de la muerte una vez que ella tenía tanta leche en las ubres que estaba a punto de explotar. Mientras ella estuviera cerca, Hadara tendría su leche.

Ahora comenzaba una etapa muy feliz en la vida de Hadara. Casi todos los días iba a buscar al grupo de gacelas. Muy pronto ellas se acostumbraron a él, que se quedó con ellas mimando a las pequeñas, tomando la leche de las hembras. Ya nadie le tenía miedo.

Sintió que la leche era una fuente de energía. Makoo dijo que estaba más fuerte y se dio cuenta de que ahora corría más rápido.

Hadara creía que las gacelas siempre iban a estar allí, cerca de su familia avestruz.

Pero un día estaban muy nerviosas, no podían estar quietas hasta que finalmente rodearon a Hadara y le dijeron:

—Nos tenemos que ir deprisa. Te queríamos avisar.

Hadara no entendía nada. ¿Por qué de repente desaparecían? ¿Y adónde irían?

—Hemos visto muchos jeeps con humanos. Y los humanos en jeeps, acostumbran a llevar armas y matar gacelas. Primero nos persiguen y mientras lo hacen, nos disparan. Por eso nos vamos. No sabemos adónde. Pero tenemos mucho miedo.

Hadara se quedó con la boca abierta. Vio las gacelas estremecerse y de repente comenzaron a huir hacia el sur con largos y suaves brincos.

cerca de un muchacho salvaje en Francia

Tres grandes jeeps de color gris se arrastraban a través de las tierras llanas del desierto. En el techo de los vehículos había carpas, cajas de madera repletas con herramientas y una gran red atada con una gruesa cuerda. La red fue idea de O'Connor. Con su ayuda cazarían al muchacho avestruz. Adentro del jeep había bidones de agua, una reserva de gasolina y estuches de metal con el equipo de la filmación.

El equipo de filmación estaba compuesto por tres hombres de la *Productora Global*: el productor Bob Johnson, el camarógrafo Harold Joseph y el sonidista Gregory Wilder.

A Bob, el productor, le pareció que la idea de la red era brillante. Gracias a ella la captura del chico se vería mucho más dramática y eso le haría muy bien a la película.

El autor intelectual de la expedición era Luke O'Connor, cazador y aventurero, que además, era el único que había visto al muchacho avestruz y fotografiado sus huellas.

Luke O'Connor conducía uno de los jeeps. Delante de él, sobre el tablero de instrumentos, había colocado las fotos donde se podían ver claramente las huellas de los avestruces en la arena. Pero también se podían apreciar claramente las huellas de un joven, el muchacho avestruz.

Al lado de Luke estaba sentado el lingüista Guy Miklos, la quinta persona del equipo. Miklos era delgado, de hombros estrechos y cabello medianamente largo e hirsuto.

Este hombre había vivido tres años en el desierto y hablaba tres de las lenguas que hablan en el Sahara. El árabe lo estudió en la universidad y durante los tres años que vivió entre los nómadas aprendió a hablar hassanía, idioma que se habla al oeste del Sahara y tamarschek, el idioma que hablan los tuaregs.

Lo había contratado la compañía para que cuando capturaran al muchacho alguien pudiese hablar directamente con él, ya que Bob pensaba que hablaría árabe, hassanía o tamarschek.

—¿Cómo aguantaste tres años seguidos en el desierto? —resolló Luke, que se secaba la cara con la manga de la camisa—. El Sahara es horrible, monótono y endiabladamente caliente. ¿No te parece?

—No lo sé —contestó Miklos—. Yo creo que el desierto es hermoso y no tiene nada de monótono. En cuanto al calor, uno termina acostumbrándose. Las noches son maravillosas. La gente acá es muy interesante, así como sus idiomas. Espero poder volver el año que viene para continuar mis investigaciones. En realidad espero poder quedarme tres años más.

Luke O'Connor movía la cabeza en señal de desconcierto. Un bocinazo del jeep que venía detrás hizo que Luke se detuviera. Todos los hombres saltaron de sus vehículos y se acomodaron a la sombra del primer jeep.

—¿Dónde te parece que podremos encontrar un guía? —preguntó Bob—. En realidad precisamos tres; uno que conozca bien el desierto y dos que nos ayuden a montar las tiendas, que se encarguen de la comida y que carguen el equipo mientras nosotros filmamos. Tal vez podríamos contratar al mismo guía que tú utilizaste cuando encontraste al muchacho.

—Te refieres a Sidi Brahim —contestó Luke y carcajeó como siempre lo hacía.

Ese tipo tiene demasiada fantasía. Fíjense que me decía que por medio de las huellas de un animal él podía determinar si se trataba de una hembra o de un macho. Además me dijo que era un detective del desierto y que gracias al estudio de las huellas había resuelto un montón de casos, de camellos robados y de ladrones. También me quiso hacer creer que viendo las huellas de una persona podía ver a la persona delante de él. Sin duda todo es una farsa.

—No lo creas —le contestó Guy Miklos—. Yo he vivido junto a los tuaregs. Son una tribu muy interesante del sur del Sahara. Son conocidos como los hombres azules.

Una vez los acompañé en un viaje en caravana hacia Mali. En el viaje había un hombre viejo que todas las noches ponía sus manos en la arena y podía ver todo lo que pasaba con las mujeres, los niños y los viejos allá en el campamento.

Recuerdo por ejemplo cómo nos contó que uno de los hombres que viajaban en la caravana había tenido un hijo. Cuando regresamos al campamento comprobamos que todo lo que había dicho el viejo había sucedido.

No les puedo decir cómo pasaba, pero lo que sí sé es que hay muchas cosas que suceden en el desierto que nosotros no podemos comprender.

—Como quieras. De todas maneras Sidi Brahim es un embaucador —dijo Luke obstinadamente—. Cuando yo le mostré las huellas del muchacho avestruz y le pregunté qué aspecto tenía, cuántos años tenía y si vivía con los avestruces, sólo movió la cabeza disgustado y me dijo: "No veo nada".

—Nosotros necesitamos un guía de todas maneras —dijo Bob—. Ese Sidi Brahim parece interesante. Puede ser interesante filmarlo, pero la gente que vive en el desierto se mueve mucho y no va a ser fácil ubicarlo.

—Quiero que nos detengamos tan pronto veamos algunos nómadas para ver si podemos contratar dos o tres. Y también preguntaremos por ese detective del desierto Sidi Brahim. ¿Okay?

—Okay, contestó Luke y regresó al jeep. Se mordió los dientes. No le gustaba nada recibir órdenes, pero tenía que aguantar para evitar disputas.

De todas maneras Bob era el jefe y se tenía que hacer lo que él decía. Y no debía olvidar que gracias a él se convertiría en algo grande, en una persona admirada. Dentro de muy poco todo el mundo sabría quién era Luke O'Connor.

Condujeron durante todo el día sin ver tiendas, camellos o personas. Cuando comenzó a anochecer ellos mismos tuvieron que cargar sus bártulos, armar las tiendas y prender una fogata para cocinar la cena.

Cada uno de ellos tenía una caja de madera con su equipo personal.

Guy Miklos levantó con mucho cuidado la tapa de su caja; allí había ropa, jabón, cepillo de dientes y cosas para afeitarse, pero la mayor parte de la caja estaba destinada a cuadernos con apuntes, lápices, cámaras, cuadernos de bocetos y libros.

Tomó uno de los libros, se acostó al lado de la fogata y comenzó a leer. El libro se llamaba *El niño salvaje de Francia*.

El camarógrafo y el técnico de sonido no abrieron sus cajas personales. Levantaron los estuches plateados donde tenían sus cámaras, el equipo de sonido y comenzaron a revisarlos. Estaban muy nerviosos.

El último tramo lo habían hecho sobre un camino muy irregular, por lo tanto el jeep se había sacudido demasiado. Querían comprobar que nada se había dañado.

Cuando se aseguraron que todo estaba bien, procedieron a sacar el polvo y los eventuales restos de arena a los equipos con ayuda de una gamuza y pequeños cepillos.

Más que nada ellos tenían miedo de la arena.

Antes de abandonar Estados Unidos comprendieron los riesgos que podrían tener los equipos de filmación en el desierto; por lo tanto llevaban dos cámaras filmadoras, dos equipos de grabación con sus respectivos micrófonos. De todas maneras estaban muy preocupados por el material.

Bob, su jefe ni siquiera los miraba, confiaba en ellos y estaba seguro de que nada les pasaría a los equipos.

El productor tomó un cuaderno de apuntes de su caja personal y comenzó a escribir un pequeño esquema de su próxima película.

Escena 1: Luke O'Connor está sentado al volante y conduce a través del desierto. Allí cuenta sobre su encuentro con el niño avestruz y muestra las fotografías de sus huellas en la arena. Luego más tomas de su búsqueda del niño. Luego una escena de un muchacho desnudo corriendo en medio de una manada de avestruces.

Y ahora el clímax de la película: cuando ellos capturan con ayuda de una red al muchacho. Todavía no había pensado cómo sería el momento de la captura.

Pero ya que se trataba de un salvaje, lo seguro era que este se resistiera, protestara. Por eso había traído correas de cuero y una camisa de fuerza. Esperaba que no se necesitara la camisa. Sin embargo, el film sería mucho más dramático si el muchacho era tan salvaje que tuvieran que ponerle la camisa de fuerza.

El productor hizo a un lado el libro de apuntes y contempló el cielo brillante.

Nunca en su vida había visto tantas estrellas. Sentía que había una infinidad de estrellas allí arriba y que sólo necesitaba estirar la mano para tocarlas.

La caja personal de Luke era muy pesada. Cuando la bajó y la puso sobre la arena, procedió a abrirla. Y en ese momento todos se dieron cuenta de la causa de su peso: estaba repleta de botellas.

Tomó una de bourbon y la abrió con su navaja suiza.

Luego tomó una taza metálica y la llenó de licor. Cuando invitó a los otros, todos lo rechazaron.

—Yo sería más cuidadoso con eso —dijo el especialista en lenguas.

—¿Por qué?

—Esta noche no hay problema, pero la gente que vamos a contratar son musulmanes.

—¿Y qué con eso?

—Los musulmanes no beben alcohol. Y tampoco les gusta ver a la gente bebiendo. Va contra su religión. Durante los tres años que viví con los nómadas, no bebí una sola gota de alcohol. Es importante si uno quiere ser respetado. Como yo no bebía demostré que respetaba sus costumbres y los respetaba a ellos.

—¿Y cómo te aguantabas?

—Claro que yo extrañaba una cerveza fría, la extrañaba tanto que parecía que iba a enloquecer. Sin embargo, lo superé.

—¡Qué idea más idiota! Mi lema ha sido siempre que uno no se tiene que privar de nada en esta vida —dijo Luke y levantó su taza metálica—. ¡Salud! ¿Nadie quiere?

Bebió el contenido como si fuera el último y se apresuró a llenar el vaso nuevamente. Luego lo dejó en la arena y fue a recoger ramas secas para la fogata.

Una media luna apareció en el cielo. Las estrellas y la fogata también ayudaron para que Guy Miklos pudiera leer mejor. El interés por el libro sobre el muchacho salvaje en Francia iba aumentando a medida que lo leía.

—Yo no creo que tú entiendas realmente cuán interesante es la historia del muchacho avestruz —dijo Miklos levantando la cabeza del libro.

Hay muchos ejemplos de niños salvajes que fueron capturados, pero muy pocos que fueron seriamente estudiados. El primer caso documentado es de un joven en Francia.

Él no creció con animales pero se cree que creció solo en el bosque. Lo vieron por primera vez en 1797, un muchacho desnudo que corría en un bosque en el centro de Francia.

Vecinos curiosos que vivían cerca pudieron ver cómo buscaba raíces y bellotas.

Al año un grupo de leñadores logró capturarlo y llevarlo a un pueblo.

Al principio todo el pueblo llegaba hasta la plaza donde lo exhibían. Pero luego la gente se cansó de ver a un salvaje, sucio, que no emitía sonido alguno. Tampoco mantuvieron la guardia, así que al poco tiempo logró escaparse.

Quince meses después lo volvieron a capturar con ayuda de perros. El muchacho aparentaba tener entre trece y catorce años. No hablaba pero emitía un sonido. El joven fue conducido hasta París donde verdaderas multitudes llegaban para verlo.

Un médico se hizo cargo de él. Intentó hacerlo hablar de todas maneras, durante años. Pero la única palabra que logró o que quiso emitir fue: leche.

Finalmente el médico desistió y lo ubicó en la pensión de una mujer que cobraba por tenerlo. Murió a los cuarenta años de edad. En el último reporte decía que era "medio salvaje, aterrorizador y mudo".

—Quizás era atrasado —se preguntó Bob Johnson.

—No, no lo creo —dijo Guy Miklos—. Él por ejemplo no tenía ningún problema en las cuerdas vocales, por eso podía decir "leche" y también podía gritar. Yo creo que simplemente se usaron métodos inadecuados.

Según lo que pude entender había gente que creía que en realidad era autista, producto de maltratos anteriores. Y que por esa situación eligió vivir solo en el bosque.

Otros en cambio criticaron al médico porque pensaban que él tenía que haberle enseñado desde el principio a hablar por medio del idioma de las señas. Pero muchos creían que era retrasado desde el principio y que sus padres lo abandonaron en el bosque con el propósito de asesinarlo.

El muchacho tenía una cicatriz en el cuello como si alguien hubiera intentado cortarle la garganta.

—Sería interesante que contaras esta historia en nuestra película —le dijo Bob, el productor.

—Nuestras películas —acotó el camarógrafo—. Esta historia va a dar para varias películas. Primero una, donde nosotros intentamos cazar al muchacho. Podemos seguirlo con el jeep mientras corre con los avestruces y mientras tanto lo podemos filmar. Luego podemos filmar la parte cuando lo cazamos con la red. Y la película termina cuando nuestro genio en lenguas hace contacto con él y los dos están sentados junto a la fogata y el muchacho le cuenta toda su vida en el desierto.

La otra película, la número dos, puede tratar de su viaje a Nueva York y de su confrontación con la civilización y todos sus milagros.

Piensen en lo que significaría subir con el chico en el edificio del *Empire State.* Por último en la película número tres ya se puede mostrar la parte cuando el muchacho se convierte en una persona normal.

—Maravilloso —dijo Bob—. Sencillamente maravilloso.

—Pero piensen en lo que pasaría si nuestro muchacho, igual que el de Francia, no puede hablar —comentó el técnico de sonido, que se caracterizaba por ser un hombre callado y que sólo hablaba para decir cosas importantes. Cosa que no logró esta vez.

—Tonterías —espetó Bob—. Luke, aquí presente, lo escuchó hablar. Es por eso que trajimos un lingüista con nosotros. Y por eso esta historia es única; algo que nunca se ha mostrado en cine.

Luke se había dormido y sus ronquidos se mezclaban con los sonidos de la noche en el desierto, el crujido de las lagartijas que se arrastraban en la arena, pequeños y vivaces ratones del desierto en busca de comida o algún hambriento escorpión.

Pero antes de quedarse dormido alcanzó a pensar en el alboroto que había ocasionado porque había dicho que el muchacho le había hablado. En realidad no era cierto. El muchacho nunca había dicho un montón de palabras en un idioma desconocido, el salvaje sólo había siseado. Pero eso no se lo pensaba contar a los otros.

Picos serviciales

Hadara despertó bruscamente. Nuevamente había tenido una pesadilla. Lo habían atrapado ¿quiénes? No lo sabía. Lo que tenía claro es que cayó de bruces en el medio de un grupo de chacales que se abalanzaron sobre él mordiéndolo en las piernas, en los brazos y en los pies.

Fue ahí que despertó.

Normalmente, cuando él despertaba, abría los ojos y ya se sentía despejado, expectante, ante el nuevo día que tenía por delante. Esta vez era diferente. Algo tenía en sus ojos, que tuvo que ayudarse con sus dedos para poder abrirlos. La cabeza le pesaba. Salió arrastrándose de su cama debajo del avestruz macho. Como siempre, esa fue la señal que hizo que todos los avestruces despertaran, se levantaran, vieran alrededor y empezaran a pastar. De cuando en cuando engullían alguna piedra. Esto también lo hacía Hadara. Esta vez comió sólo una piedrita y se sintió tan agotado que no tenía fuerzas para buscar algo para comer. Se tiró en la arena, al costado de una roca. Cuando el sol estuviera arriba, se formaría un pequeño círculo de sombra a su alrededor, pensó. Pero lo extraño era que pese a que el sol estaba saliendo, tiñendo el cielo de nácar, y el aire todavía debería estar frío, Hadara sentía un terrible calor.

¿De dónde vendría ese calor?

¿Vendría ese gran calor de su interior?

Levantó su mano, que también sentía cansada y se tocó las mejillas. Estaban tan calientes como cuando corría a través del desierto en esos días de muchísimo calor.

Makoo miró largamente a Hadara, que se había dormido en la arena. Su respiración era entrecortada y pesada. No era la respiración habitual del muchacho. Se sentía preocupada pero al mismo tiempo no era capaz de interpretar lo que estaba viendo. Que Hadara estuviera durmiendo al mediodía en lugar de estar buscando comida o bailando, le preocupaba mucho, o mejor dicho, la atemorizaba. Su cara estaba tan roja e hinchada que apenas se podía reconocer.

'Comida —pensó ella—. Él tiene que comer'.

Sacó unas raíces y las puso cerca de su mano.

Y recolectó hojas verdes.

Lo empujó con el pico pero no se despertó. Un nuevo empujón logró que el muchacho comenzara a moverse.

Finalmente Makoo hizo algo que ella trataba de que sus pichones nunca hicieran, picoteó duramente a Hadara con su pico. Hadara abrió los ojos, que se veían diferentes; brillaban como el agua de un manantial.

Makoo agachó su cabeza, le acercó las raíces y las plantas hasta las manos de Hadara.

—Come —le señalaba la comida—. Tienes que comer.

Hadara no respondió. No tenía fuerzas. La sed le quemaba la garganta, la cabeza le dolía. Cuando Makoo se agachó hasta él le pareció terriblemente grande. No quería nada, por eso se acostó de costado, se acurrucó y entró en un sueño muy profundo.

La angustia por el muchacho que dormía acompañó a los avestruces todo el día. Cuando la sombra se alejó del lugar donde dormía Hadara, los avestruces trataron de despertarlo para que se corriera a otro lugar. Pero a pesar de todo, no se despertaba. Su cara estaba colorada y el sudor le corría por todo su cuerpo y formaba extraños dibujos en su piel polvorienta. Entonces los avestruces comenzaron a turnarse para cubrirlo del sol. Una pequeña sombra cayó sobre Hadara. Entonces el avestruz que le hacía sombra a Hadara aprovechó a mover sus alas para ventilar al muchacho. Durante tres días estuvo acostado sin comer. Lo peor era que tampoco ingería líquido y Makoo sabía que él necesitaba tomar agua mucho más seguido que ellos.

Al tercer día abrió los ojos y vio que uno de los avestruces más pequeños estaba sobre él cubriéndolo del sol y que movían sus alas logrando crear una agradable brisa.

Como en medio de un sueño, comprendió que se trataba de Akuku, el pequeño avestruz que había salvado de los hombres.

—¿Qué pasó? —preguntó Hadara.

—Nadie sabe dijo, al tiempo que hacía señales al resto del grupo. Con pasos largos y aparatosos, todos llegaron corriendo y se pararon alrededor de Hadara.

—Estás enfermo —le dijo Hogg.

—Estás muy enfermo —dijo Makoo—. Creemos que tienes que tomar mucha agua para que te cures. Pero ya no queda agua en el cascarón. Tenemos que ir hasta el manantial. Todos tenemos que beber, pero más que nada tú.

Hadara trató de incorporarse, pero se cayó en la arena al tratar de hacerlo. Se arrodilló y sintió que todo su cuerpo temblaba. Incluso veía unos pequeños puntos luminosos frente a sus ojos. Sus mejillas ardían. Era como si todo su cuerpo se incendiara, igual a aquella vez que se quemó con el fuego.

Picos serviciales se metieron debajo de sus brazos y el tronco y lo ayudaron a levantarse. De esa manera se incorporó. Pero estaba tan débil que no era capaz de andar solo.

—¿Podrías montar? —preguntó Hogg.

—No lo creo. Estoy demasiado cansado. No me podré sostener —respondió Hadara.

—Entonces caminamos —dijo Makoo—. Todos te vamos a ayudar.

El único ser viviente que vio lo que pasó luego fue un curioso cuervo. El cuervo voló en círculo un rato por encima del grupo que caminaba muy lentamente hacia el manantial.

Normalmente los avestruces caminaban en una fila única. Pero este grupo no lo hacía así. Se movían hacia delante en manada, como lo hacían las gacelas. En la mitad iban los avestruces más grandes. Entre ellos, tambaleante, iba un muchacho, desnudo, tez marrón, pelo largo y sus brazos alrededor de sus cuellos.

A veces el muchacho se caía y todos los avestruces se agolpaban en torno a él y con sus picos lo obligaban a levantarse. Una vez más el muchacho rodeó con cada brazo el cuello de un avestruz. De esa manera recomenzaron su trabajosa marcha.

ás famoso que Kaspar Hauser

Los tres jeeps conducían hacia una cadena de espejismos. Parecía como si fueran directamente hacia un lugar con un maravilloso lago de aguas celestes, islas y árboles.

No era extraño ese sentimiento de ver un lago en medio del desierto, lo extraño era que ese lago siempre estaba un paso más allá. Y no lo podían alcanzar jamás.

El camarógrafo detuvo el jeep en seco. Los demás hicieron lo mismo.

Sus ojos le brillaban afiebrados.

—¡Tengo que filmar! —les gritó a los otros—. Tengo que lograr filmar un espejismo.

Sacó su teleobjetivo más grande de la valija de metal, uno de 600 mm, lo colocó en una de sus cámaras que afirmó en un trípode y comenzó a filmar.

Era inmensamente feliz.

'No debe de haber muchos que hayan filmado espejismos —pensó. Me pregunto si quedará registrado'.

Nunca había filmado un espejismo y no sabía de nadie que lo hubiera hecho.

Pero filmó con el teleobjetivo más grande que tenía, por eso esperaba que todo quedara registrado. Dejó la cámara rodar y se olvidó del tiempo y el espacio.

Finalmente llegó Bob Johnson, lo tocó en el hombro y le dijo:

—Basta. Ya tenemos suficiente.

Contra su voluntad Harold Joseph apagó su cámara, le sacó el gran teleobjetivo, lo envolvió en la tela de gamuza, lo colocó cuidadosamente en su caja metálica y cerró la tapa con cuidado.

La parte de atrás de su camisa estaba empapada de sudor y su nariz estaba roja por el sol a pesar de que tenía puesto un sombrero de ala ancha.

Cuando retomaron la marcha la temperatura había aumentado considerablemente. Era casi insoportable. El aire estaba tan caliente como cuando uno se pone cerca de un soplete.

—51 grados –jadeó Bob, que llevaba un termómetro consigo.

Todas las ventanillas del jeep estaban abiertas. Sin embargo, el sudor les corría por la cara y el cuerpo.

De repente Guy Miklos se trepó hasta la parte de atrás del jeep y de entre sus cosas sacó una tela negra y larga que se colocó a modo de turbante, que no sólo le cubría el pelo, sino también parte de la cara.

—¿Qué estupidez estás haciendo? —dijo Luke—. Pareces un loco, te ves como un beduino.

—Más cuerdo no puedo estar. De esta manera no sólo te proteges del sol sino que además, te proteges de la arena. Es mucho más efectivo que un sombrero, te lo aseguro. ¿Quieres que te preste un pedazo de tela? Tengo más en la valija.

—Busca otra broma para hacer. Nunca me pondría algo así —contestó Luke y se largó a reír de forma contagiosa.

En el jeep de atrás venía el camarógrafo que pensaba con preocupación si la película toleraría temperaturas tan altas sin estropearse.

En el último vehículo de la caravana venía Bob, el productor, que silbaba alegremente. Ya había resuelto cómo empezaría la película.

Lo primero que se vería sería un espejismo. Y dentro de él, se vería una mancha que se va moviendo, una mancha reluciente que se mueve hacia la cámara.

Al principio no se entiende de qué se trata. Pero rápidamente la mancha se va transformando hasta convertirse en un muchacho desnudo que sale de un grupo de avestruces.

¡Qué comienzo!

A pesar del calor insoportable Bob Johnson estaba satisfecho consigo mismo.

Recién al tercer día de estar en el desierto pudieron ver algunas carpas.

—Un *frig* —comentó Guy Miklos—, es decir, un pequeño campamento. Los nómadas viven en lo que nosotros acostumbramos a llamar grandes familias; entre 10 o 20 personas en cada campamento. Todos pertenecen a la misma familia. La carpa más grande pertenece al hombre más viejo y a su esposa. Cuanto más vieja es la persona, más respeto adquiere. Tenemos que hablar con el hombre más viejo.

Un perro ladró, y la gente salió de las tres carpas para encontrarse con los extraños, llamándolos con gestos amistosos. Resultó que hablaban hassanía, idioma que Guy hablaba con fluidez.

Los invitaron a pasar a la tienda grande y les convidaron té servidos en vasos de vidrio. El primer vaso de té tenía poca azúcar.

—Es tan amargo, como la vida misma —dijo el anciano que servía.

El vaso número dos, tenía un poco más de azúcar.

—Es suave como la muerte —dijo el anciano.

El vaso número tres tenía mucho azúcar.

—Es tan dulce como el amor —dijo el anciano y se rio mostrando sus pocos dientes.

—Uno siempre que viene de visita por estos lados, recibe tres vasos con té —aclaró Guy a sus compañeros—. Es parte de la ceremonia de bienvenida.

Después de haber tomado los tres vasos se puede iniciar la conversación, que es muy importante para los saharauis.

Luego de que Guy Miklos les tradujera, comenzó a conversar con la gente de la tienda. Los hombres del equipo de filmación se aburrieron por completo ya que no entendían nada de lo que se estaba hablando, el lingüista Miklos estaba tan contento de hablar hassanía que se le olvidó traducir.

Luke fue el primero que se levantó de la alfombra roja dentro de la tienda y regresó al jeep. Cuando nadie lo estaba viendo abrió la guantera, donde tenía una botella y se tomó un trago que le quemó sabrosamente la garganta. Pronto llegaron los demás. Todos los del equipo de filmación querían irse cuanto antes y no estar perdiendo el tiempo hablando con unos beduinos a quienes no tenían ninguna intención de filmar.

Cuando Guy por fin terminó de conversar en la tienda y podían continuar el viaje, llevaban consigo a dos jóvenes, Alí y Farid y tres cabras vivas que yacían amarradas en el asiento posterior de uno de los jeeps.

El lingüista dijo además que el viejo le había dicho que, en lo que respecta a buscadores de huellas, no había nadie mejor que Sidi Brahim y que él estaba con su familia no muy lejos de ahí. Sólo tres días en camello, había dicho el viejo. Tres días de camino directamente hacia el sur.

—Entonces vamos al sur —dijo Bob.

Al caer la noche, los americanos, sentados en sus sillas hechas de cubiertas, pudieron disfrutar del fresco que siempre llegaba furtivamente tan rápido como el sol se escondía en el horizonte.

Los jóvenes armaron las tiendas, encendieron el fuego, descargaron el equipo y mataron una de las cabras.

Mientras Alí y Farid preparaban el cuscús y la carne de cabra se terminaba de asar, Guy Miklos contaba acerca del muchacho salvaje más famoso del mundo.

Sobre él se han escrito miles de libros y se han filmado decenas de películas. Justamente entre sus pertenencias tenía un libro que hablaba de él. Se llamaba Kaspar Hauser. Un día de 1828, el mismo día en que Víctor, este muchacho francés, murió, apareció en Nuremberg, Alemania, un muchacho muy extraño. Aparentaba tener entre 15 o 16 años y tenía muchas dificultades para caminar.

El muchacho había estado encerrado toda su vida en una habitación muy estrecha de un sótano. Si bien podía hablar, su vocabulario constaba de unos cientos de palabras. Y lo único que sabía escribir era su nombre: Kaspar Hauser.

Lo más interesante —creo yo— es el tema del idioma. Luke dice que escuchó que nuestro muchacho salvaje pronunció una palabra, pero que no la entendió.

Esto es verdaderamente interesante. Kaspar Hauser también podía hablar, aunque solo fueran unas pocas palabras. Y una vez que se mudó con un hombre que le enseñó a hablar, pasó algo grandioso, que yo espero que también pase con nuestro muchacho. Kaspar aprendió a leer y a escribir rápidamente. Incluso aprendió a pintar y a tocar a Mozart en el piano. A los cinco meses pudo escribir su propia historia.

Guy Miklos calló. Sus pensamientos comenzaron a volar. Él lograría que el muchacho avestruz hablara y contara su historia.

Probablemente su lenguaje sería muy limitado, máxime teniendo en cuenta que vivió toda su vida en el desierto entre animales, pero igual que Kaspar, avanzaría rápidamente. Y como su idioma materno probablemente era el árabe por supuesto le enseñaría a escribir en árabe.

Bob Johnson, el productor, que lo había escuchado atentamente, interrumpió sus pensamientos.

—¿Y cómo le fue?

—Lamentablemente todo terminó mal para Kaspar Hauser —continuó Guy Miklos—. Lo asesinaron. Y todavía no se sabe quién fue. Pero lo más interesante en esa historia es que a pesar de haber estado encerrado toda su vida sin hablar con nadie, fue capaz de hablar y de aprender rápidamente un montón de cosas.

Y si el muchacho avestruz es capaz de decir algunas palabras, será fácil seguir profundizando en su idioma materno, que veremos si es árabe, hassania o el de los tuaregs.

—De todas maneras no hay problema porque hablo cualquiera de los tres, fluidamente.

—Lo que sí no creo es que haya que comenzar por el inglés.

—Si partes de un idioma, los otros van fluyendo con facilidad.

El productor de la película, Bob Johnson, prendió un cigarrillo y sonrió de manera tal que sus dientes grandes y amarillos relucieron en la oscuridad.

—El final de la película será cuando tú contactes al muchacho en su idioma y logremos que él mismo cuente su historia.

—Pero lo llevaremos a Nueva York, ¿verdad? –dijo Luke, que pensaba que una vez que el muchacho estuviera allí lo tendría a su disposición. Una vez en los Estados Unidos podría llevarlo a recorrer distintas ciudades y comenzaría a escribir un libro. Luke no tenía hijos por lo tanto podría adoptar al muchacho y llevarlo a Montana; enseñarle a pescar y cazar...

—Por supuesto —dijo el productor—. La idea es hacer muchas películas con *El muchacho avestruz*. Va a ser famoso, más famoso que Kaspar Hauser.

Una vasija con dátiles

El experto en huellas Sidi Brahim montaba su camello favorito. Lo seguían el resto de los camellos de la familia.

Cuando llegaron al manantial, los camellos bebieron hasta saciarse. Luego Brahim llenó todos los bolsos de cuero que llevaba y ató cuatro en cada camello.

Una vez que estuvo listo no pudo dejar de mirar por si había alguna huella del niño avestruz. Encontró huellas de gacelas, de un grupo de cornejas, un cuervo y un montón de aves pequeñas. Pero también vio algo que le sorprendió y que tenía que ver con el niño avestruz. En primer lugar estaba claro que venían del este, pero lo extraño era la forma en que se conducían. Los avestruces acostumbran a viajar en una larga fila, pero no sucedía así esta vez. Por las huellas dedujo que los avestruces estaban rodeando al muchacho. Cuando Sidi Brahim se agachó para ver las huellas de cerca se le representó toda la situación, como solía sucederle siempre que detectaba huellas. Era como mirar un cuadro donde podía ver claramente la cara del muchacho delante de él. Eran las mismas huellas que había visto con anterioridad cuando el americano había colocado una trampa para cazar al león cachorro. Luego las vio cuando el muchacho estuvo en el campamento para rescatar al pichón de avestruz. Y por último había visto las del muchacho caminando en medio de la fila de avestruces.

Todas esas veces había podido ver tan claramente las huellas del muchacho como ahora. Sin embargo nunca se lo contó al americano que no sólo se había reído de él sino que tampoco había creído en su capacidad para interpretar las huellas.

Cada vez que Sidi Brahim pensaba en el americano, que según recordaba se llamaba Luke, lo invadía la rabia.

Una vez más se arrodilló y una vez más pudo verlos a todos, al muchacho, a los avestruces y a los pichones de avestruces. ¿Cuántos años podría tener; doce, trece quizás? De cabello negro, largo y enredado. Su piel color aceituna. Iba desnudo, solamente llevaba un trapo atado alrededor de la cintura. El muchacho se veía muy flojo, apenas podía caminar. Incluso cuando lograba hacerlo, trastabillaba; se sostenía de dos avestruces grandes que cada vez que él caía, lo animaban a seguir.

Al llegar al manantial, el muchacho se puso a beber.

Cuando Sidi Brahim regresó al campamento donde estaba su familia con los camellos y el agua, la noche estaba negra como un carbón. Su hijo mayor se hizo cargo de los camellos; tenía que ordeñar al camello hembra para que tuvieran leche fresca para la cena.

Cuando Sidi se dirigía hacia su tienda quedó paralizado, mirando fijamente el panorama. Tres jeeps estaban estacionados afuera de las tiendas y su mujer estaba colocando una alfombra en la arena para que los extranjeros se sentaran. Cinco extranjeros. A uno de ellos ya lo conocía. Era el americano que hablaba alto, que se reía permanentemente y que lo había tratado con desprecio. Se había burlado de él y no había creído en su poder de leer huellas. Además bebía todas las noches. Es más; una noche bebió tanto que había terminado durmiendo en la arena.

Pero entre los extranjeros había un hombre pequeño y delgado que no usaba sombrero caqui, como los demás. Sino que usaba una tela oscura que le envolvía la cabeza y le cubría parte de la cara. ¿Por qué este hombre usaría un turbante como el que usan los habitantes del desierto? Tan pronto el hombre habló, Sidi Brahim lo entendió. El pequeño hombre había vivido entre su gente y entre los tuaregs y con ellos había aprendido sus lenguas.

Dijo que los americanos filmarían una película sobre el niño que vive con los avestruces y por eso necesitaban de sus servicios.

—Nosotros vamos a buscar al muchacho y lo trataremos de filmar en su "estado natural" por llamarlo de alguna manera —dijo el americano que parecía ser el jefe—. El pequeño hombre de turbante traducía todo al hassanía, aunque en realidad no era necesario ya que Sidi, cuando joven, había trabajado en un pesquero inglés y allí había aprendido el idioma, que nunca olvidó.

—Luego lo vamos a capturar. Guy Miklos, que habla su idioma, tratará de tomar contacto con él y lo filmaremos. Luego lo llevaremos a Nueva York. Pero lo primero es encontrarlo. Y nos han dicho que tú eres el mejor experto en huellas de todo el Sahara, por eso te queremos contratar. Recibirás 50 dólares por día y en el momento de la captura cien dólares más.

Sidi Brahim bajó la cabeza con dignidad y aceptó la propuesta. En ese momento su señora, su anciana madre y sus dos hijas empezaron a llevar la comida y pusieron los grandes recipientes humeantes enfrente de los extranjeros. Él escuchó que los extranjeros protestaban por la comida, pero el hombre pequeño les dijo que estaban obligados a comer. Los habitantes del desierto son la gente más hospitalaria que existe, pero despreciarles la comida es una ofensa terrible. Parecía que a los extranjeros no les gustaba comer con la mano y apenas tocaron la comida. La leche de camello recién ordeñada tampoco parecía gustarles. Solamente el hombre pequeño comía con saludable apetito. Una vez que terminó de comer, agradeció a todos la hospitalidad y la comida, y dijo un pequeño discurso en honor a Sidi Brahim y toda su familia. Pero cuando la mujer de Sidi quiso bailar y cantar para homenajear a los forasteros, el hombre rechazó la invitación con educación, aduciendo que los extranjeros estaban muy cansados debido al calor. Sin embargo, aclaró, que cualquier noche pasarían para mirar la danza.

Los forasteros armaron su tienda a unos metros de la de Sidi Brahim. Cuando vio que ellos apagaron la luz tomó el camello más rápido que tenía, las escobas de las mujeres y partió. Se orientaba por las estrellas y gracias a ellas podía dirigir el camello en la oscuridad. Cabalgó hacia el manantial y con la escoba barrió todas las huellas del muchacho enfermo y de los avestruces. Pudo ver que el muchacho todavía estaba muy enfermo pero también vio que ya no se caía como antes. Cuando el grupo abandonó el manantial se dirigieron a la parte sur del desierto, probablemente al mismo lugar de donde salieron.

Antes de que Sidi Brahim regresara a su *frig*, al campamento de su familia, enterró una vasija en la arena, cerca de una vieja acacia.

Por la mañana temprano llegaron los tres jeeps. Los extranjeros ya estaban prontos para arrancar.

—No sé por dónde te parece empezar —preguntó el hombre que parecía ser el jefe.

—Creo que lo mejor es empezar por el lugar donde el señor Luke vio al chico avestruz y fotografió sus huellas. Seguramente el grupo anda todavía cerca —dijo Sidi Brahim.

—Bien pensado —respondió Bob Johnson—. Vamos entonces.

Sidi Brahim les indicó el camino al manantial. Allí llenaron sus bidones y echaron agua a los radiadores de sus vehículos.

—¿Qué camino tomamos? —se preguntó Bob Johnson.

—No tengo ni idea —dijo Luke O'Connor—. En este maldito desierto todo parece igual.

—Vamos al sur —dijo Sidi Brahim.

Los tres vehículos se dirigieron al sur y a su paso levantaron una nube de polvo rojo y amarillo que se mantuvo suspendida en el aire por un buen tiempo.

Otra nube se divisaba en el horizonte. Cada vez se acercaba más. Era un remolino de viento que formaba una columna de arena que tomaba diferentes formas y direcciones.

Sidi Brahim no dijo nada. Él sabía que era un *djinn*, un demonio del desierto que se acercaba, pero no dijo nada. Harold Joseph, el camarógrafo, sacó la cámara de la caja y a través de la ventana filmó el remolino. Pero lo que no calculó fue lo rápido que se movía, ya que mientras filmaba, el viento cambió de dirección y la arena comenzó a entrar por la ventana que estaba abierta.

Todos tosieron y escupieron, menos el camarógrafo, que maldijo durante un largo rato. Temía que hubiera entrado arena en su cámara.

Los avestruces no querían dejar ir solo a Hadara al manantial. No todavía. Estaba mejor, más fuerte y podía caminar sin su apoyo, pero Makoo y Hogg estaban angustiados por él. Por eso esta vez también todo el grupo fue hasta el manantial, cosa que hizo que Hadara se llenara de miedo. Vio que alguien había borrado sus huellas, pero ¿por qué?

Pero lo que más lo atemorizaba era otra cosa, huellas de botas gruesas y de varios vehículos. Apenas vio las huellas le volvieron a la memoria las terribles imágenes de lo que había vivido. La trampa. El avestruz capturado. El extraño que tomó al pichón de avestruz y se metió en esa cosa cuadrada que gruñía y en la que luego desapareció. El forastero que estaba sentado en una silla; y esa cosa roja, que luego el cachorro de león le dijo que se llamaba fuego y que había que cuidarse de él. Cuando recordaba el dolor que sintió cuando se quemó, volvía a sentirse mal. Se miró la mano, la quemadura había cicatrizado; pero la piel le quedó arrugada y áspera. Por último recordaba la piel de la leona que colgaba de la tienda. Y al hombre que venía dando traspiés detrás de él, cuando fue a rescatar a Akuku, el pichón de avestruz. Cuando volvió la cabeza lo había visto tirado en la arena. Hadara recordaba claramente que alrededor de ese campamento y de la jaula, estaban esas mismas huellas.

—Huellas peligrosas —les señaló a los otros avestruces—. Tenemos que irnos.

—Igual que las gacelas.

—Exactamente. Igual que las gacelas.

Akuku, el más curioso, estaba parado raspando la arena. Hadara se acercó y vio que había encontrado un objeto de los humanos. Sintió una inquietud especial porque recordó aquella tela que había encontrado. Y el cuchillo. Cayó de rodillas y excavó en la arena. El objeto humano estaba enterrado hasta la mitad.

Hogg y Makoo le demostraron su inconformidad, mirando hacia otro lado. Pero Hadara no podía dejar de mirar, una fuerza lo atraía. Finalmente desenterró el objeto, le quitó la arena y descubrió una tinaja de barro. Sus manos tocaron una y otra vez la superficie lisa, luego la olió. La vasija tenía una tapa que Hadara sacó. En su interior halló una fruta marrón y arrugada. Eran dátiles. No conocía los dátiles. Puso su nariz sobre la fruta y la olió. Un aroma fresco y agradable, similar al de las flores, salió de la vasija. Tomó una fruta que por cierto era bastante pegajosa y se la puso en la boca.

La sensación era indescriptible. Una enorme alegría y gran energía recorrieron todo su cuerpo. No estaba acostumbrado a comer cosas dulces, por eso comió uno y luego otro y luego otro.

Lo extraño era que toda la sensación de debilidad que había sentido en el último tiempo desapareció. Nuevamente sentía alegría de vivir. El muchacho se incorporó y fue a ver a Makoo y a Hogg que todavía seguían con la mirada vuelta hacia otro lado.

Hadara les dio a probar los dátiles, también al curioso Akuku. A todos les gustaron los dátiles. Y no se fueron hasta que la vasija estaba vacía. Hadara pensó en llevarla pero era muy pesada; por lo tanto la enterró nuevamente por si acaso volvían al lugar. Cuando se fueron, el muchacho sintió que ya no necesitaba ir en el medio de la fila para obtener apoyo. Ahora podía ir solo, como siempre entre Makoo y Hogg. Ya se sentía fuerte.

Hogg se apuró. Los avestruces sentían que algo extraño estaba por suceder. Por eso tenían que abandonar el manantial. Dejaron el lugar con enorme tristeza porque sentían que después de la Gran Lluvia ese sitio se había convertido en un paraíso para los avestruces.

Se fueron al sur.

No tenían idea de que estaban tomando el mismo camino que los extranjeros. Un remolino repentino había borrado las huellas de los tres jeeps.

La venganza de los demonios del desierto

La Gran Lluvia no sólo hizo que las flores florecieran, también las langostas comenzaron a romper sus huevos. Estaban enterradas en la arena esperando la temperatura y la humedad correcta para salir.

Uno a uno se fueron rompiendo los huevos y millones de langostas comenzaron a arrastrarse y emerger de la arena. Muy pronto tendrían alas y podrían volar.

Allá lejos en dirección al sur se movía una manada de avestruces con el muchacho en algo que era muy parecido a una huida. Se movían lo más rápido que podían.

Ninguno de ellos imaginaba que se aproximaban a los hombres con los jeeps, con las botas y con una enorme red en el techo de uno de los vehículos.

Los jeeps estaban parados en un lugar muy accidentado del terreno. Dentro del jeep el camarógrafo estaba luchando con la cámara. Pero no quería funcionar; la sacudió y le dio vuelta. Estaba nervioso y blasfemaba.

Al final abrió la cámara y trató de limpiarla, tampoco ayudó. Entonces tomó sus pequeños destornilladores y desarmó la cámara. Los otros callaban y miraban.

—No hay caso —dijo suspirando pesadamente—. La cámara está dañada. Seguramente le entró arena cuando filmaba el remolino. Ahora no funciona nada, los piñones se deben haber roto.

El único que no estaba ni sorprendido ni molesto era el experto en huellas y detective del desierto Sidi Brahim.

Saltó del asiento de adelante del jeep y cuando estuvo en la tierra se arrodilló y rezó su oración de la tarde. Puesto que los extranjeros parecían muy ocupados con la cámara, pudo orar durante más tiempo. Después de las oraciones normales, tuvo una pequeña conversación privada con Allah.

Cuando volvió al vehículo escuchó que el productor Bob Johnson trataba de consolar al infeliz camarógrafo, diciéndole que no era ninguna catástrofe lo de la cámara ya que tenían una de repuesto.

Puesto que todos estaban un poco deprimidos, Sidi Brahim dijo que pensaba hacer fuego y preparar un té. Esto hace siempre su gente cuando tienen un problema para discutir o necesitan animarse. Se levantó para buscar leña para el fuego. Justo ahí no había nada para hacer fuego, sólo arena gruesa y piedras. Tuvo que ir bastante lejos. Finalmente subió a la cima de una colina. Desde allí pudo ver al grupo de avestruces y el muchacho.

Se movían muy despacio.

No estaba a más de cien metros de ellos.

Sidi Brahim estaba tan inmóvil como un árbol o una piedra y esperaba que los avestruces no lo vieran. Recién cuando estuvo lejos se atrevió a moverse libremente.

Pero tampoco se apuró en volver al campamento. Brahim se deslizó con pereza por la colina. En el otro extremo encontró algunas ramas secas. Muy despacio y de forma meticulosa cortó las ramas y regresó hacia el lugar donde estaban los extranjeros, con un enorme atado de ramas en sus brazos y sin decir nada. Sólo se sentó en cuclillas cerca del jeep, partió algunas ramas e hizo una pequeña fogata. Cuando el fuego estuvo listo, colocó una cacerola con agua. Luego preparó el té y lo sirvió. Sidi Brahim fue el último en servirse.

No mencionó que los avestruces y el niño salvaje se hallaban en las proximidades.

El calor era insoportable pero el equipo de filmación quería llegar al lugar donde Luke había visto al muchacho avestruz. Estaban muy cerca ahora, comentó el experto en huellas. La pequeña caravana de jeeps arrancó. Sus motores rugían.

El camarógrafo ya no conducía. Se trasladó al jeep de Luke porque ya no quería oír más al sonidista reprochándole haber filmado el remolino de arena. Luke era el único que no estaba triste. El dolor de cabeza que había sentido el día anterior había desaparecido;

su humor era excelente. Sidi Brahim había dicho que visitarían su viejo campamento donde había visto al muchacho avestruz. Para festejar sacó de la guantera una botella y tomó un trago. Luke intentaba también mejorar el humor del infeliz camarógrafo. Con ese objetivo le contó muchísimas historias; de los alces que había cazado en Montana, o de una vez que un oso *grizzly* entró a su tienda en Alaska, o cuando a la edad de ocho años fumó por primera vez a escondidas e incendió toda un pradera. Mientras contaba las anécdotas, reía estrepitosamente y algunas veces consiguió que el triste camarógrafo sonriera olvidando su cámara rota.

Sidi Brahim no escuchaba las historias. Para no oler el alcohol, volteó la cara. Pero en realidad pensaba en la cámara; sabía por qué se había roto. El camarógrafo había fotografiado al demonio porque todos sabían que en realidad el remolino era un *djinn*, un demonio. Ningún habitante del desierto haría algo tan estúpido. Ahora ellos estaban sufriendo la venganza de los demonios del desierto.

Por eso Sidi Brahim no se sorprendió en lo absoluto cuando uno de los jeeps se quedó atascado en un hoyo con arena suave y no hubo caso, el vehículo no se movía. Finalmente los otros vehículos tuvieron que remolcar el jeep atorado. Les llevó una hora liberarlo. Luego se rompió una correa de transmisión.

Por suerte tenían una correa de transmisión de reserva. Ellos incursionaron en un área llena de filosas piedras color marrón. Luke O'Connor recordó haber estado ahí. En este lugar se rompió la correa de transmisión de otro jeep. Luke, que demostró ser el mejor mecánico del grupo, la cambió. Le tomó una hora. Y puesto que ya no tenían más correas de transmisión tuvo que improvisar utilizando su propio cinturón de cuero. Pero después de un cuarto de hora se rompió algo en el eje trasero. Luke condujo un rato con tres ruedas, al final el jeep se detuvo.

—Vamos a dejarlo —dijo Bob Johnson—; no hay nada que hacer. Pero tampoco es una catástrofe. Tanto nosotros como el equipaje cabemos en los otros jeeps.

Dicho esto dio la orden para trasladar y repartir todo el material en los otros dos vehículos. En el momento en que estaban realizando esta tarea se abrió la puerta del jeep y cayó Luke O'Connor que quedó tendido en el piso.

—Está borracho —afirmó Bob.

—Muy borracho —dijo Guy Miklos—. Borrachísimo.

—Luke ha bebido a escondidas durante todo el día —dijo Harold Joseph—. Tiene una botella en la guantera y bebe cuando nadie lo ve.

—¿También tomaba cuando tú trabajaste con él la vez pasada? —le preguntó el productor al experto en huellas.

—Todos los días.

—Levántenlo y pónganlo en el asiento de atrás —dijo Bob—irritado.

Antes de ponerse el sol, pincharon. Tuvieron que cambiar la llanta y colocar la de reserva. Mientras tanto Luke roncaba ruidosamente en la parte de atrás del jeep. Tan pronto arrancaron se volvieron a atascar en la arena. Pero esta vez lograron sacar el vehículo bastante rápido.

Fue un día bastante desgraciado para ellos; el jeep que se atascó en la arena, la correa de transmisión que hubo que cambiar, el vehículo que tuvieron que abandonar en medio del desierto, el remolque, el pinchazo. Todo lo había filmado Harold Joseph.

—No es tan malo pasar un poco de trabajo —dijo el productor—. Todo esto va a estar en la película. Cuantas más dificultades tengamos, más emocionante se vuelve la captura del chico salvaje.

Al terminar el día las manos del camarógrafo le temblaban. Cada vez que tenía que filmar se ponía nervioso. Sobre todo teniendo en cuenta que esta era la última cámara que tenían. Pero nada pasó esta vez.

El detective de huellas Sidi Brahim había dicho que llegarían al antiguo campamento donde estuvo Luke de noche.

Cuando cayó la noche y tuvieron que iluminarse con los focos del jeep, el experto en huellas ya no estaba tan seguro del camino que deberían tomar. Les pidió que pararan. Una vez abajo tomó un puñado de arena y lo olió. Luego señaló hacia donde tendrían que conducir. Media hora más tarde estaban en el viejo campamento. Alí, Farid y Sidi Brahim levantaron la tienda y prepararon la cena. Luke todavía estaba muy dormido.

El productor Bob se sentó en cuclillas, al lado del experto en huellas.

—¿Estás seguro que era aquí en donde tenían el viejo campamento?

—Absolutamente. Era exactamente aquí. En este lugar tenía el señor Luke su tienda y yo acostumbraba a dormir allí —dijo, e hizo un gesto en la oscuridad como señalando el lugar donde dormía.

—¿Cómo fue la noche que Luke vio al muchacho avestruz? Tú estabas aquí. ¿No es cierto?

—Así es.

—¿También tú viste al muchacho?

—No.

—También en esa oportunidad estaba borracho. ¿No es cierto?

—Sí. Yo vi incluso cómo se fue tambaleando y se cayó para luego quedarse dormido en la arena.

—¿Entonces tú no viste al muchacho?

—No. Ni nunca he dicho tal cosa.

—Pero tú has visto sus huellas.

—He visto las huellas de un muchacho, es cierto. Un muchacho que robó al pichón de avestruz. Eso es seguro.

—¿Pero y esas huellas que Luke fotografió donde se ve a un muchacho corriendo en medio de una manada de avestruces?

—No es seguro que eso sea así.

—¡Diablos!

—Los avestruces pudieron ir primero. Luego el chico tomó el mismo camino que ellos y pisoteó sus huellas. ¿Quién ha oído hablar de un muchacho que vive con los avestruces? Por lo menos yo no lo he hecho.

—Pero tú puedes interpretar las huellas. ¿Qué te han dicho las huellas?

—Nada —contestó Sidi Brahim—. Nada en absoluto. Bueno, ahora tengo que ocuparme de la comida. Pienso hacer pan. ¿Quieren pan horneado en la arena?

Tomó una bolsa de tela con harina, la mezcló con agua, le puso un poco de sal y logró hacer una gran masa. Luego sacó un poco de brasa y colocó la masa en la arena caliente y la tapó con arena y brasa.

Como todos los habitantes del desierto, sabía cuándo el pan estaba listo. La desenterró nuevamente y se pudo sentir un agradable y cálido perfume a pan recién horneado. Con una mano limpió de arena el pan y se los acercó a los forasteros.

Comieron en silencio. Estaba sabroso pero la arena se metía entre los dientes. Nadie intentó despertar a Luke O'Connor, que roncaba fuerte y con pequeños sobresaltos.

Todos se fueron a acostar pensando que estaban solos.

Pero en realidad no lo estaban.

Ni siquiera el experto en huellas Sidi Brahim suponía que un grupo de extenuados avestruces que había andado durante todo el día, se había acostado al otro lado de la colina donde los forasteros habían armado sus tiendas.

Era el grupo de Hadara.

Millones de langostas

Esa noche Hogg durmió intranquilo, también lo hicieron los otros avestruces. El único que no despertó y levanto la cabeza fue Hadara. No tenía la sensibilidad de los avestruces y de la mayoría de los animales del desierto. Casi todos sabían que algo iba a pasar en el desierto. Probablemente algo muy peligroso.

En el campamento de filmación ardía un fuego bastante animado cuando los forasteros salieron de sus tiendas. El último que salió de la tienda fue Luke, que por cierto estaba bastante callado. Es más, cuando el productor Bob Johnson le preguntó si era ese el lugar donde había tenido su campamento ni siquiera le contestó, sólo asintió su cabeza. Lo mismo pasó cuando le preguntó de dónde había venido el niño. Él sólo señaló con el dedo.

—Esta puede ser nuestra base —dijo Johnson—. Después del desayuno nos vamos con los dos jeeps. Yo quiero que nos muestres exactamente el lugar donde fotografiaste las huellas del muchacho y de los avestruces. Y también quiero que nos muestres el lugar donde tenías la trampa y quiero ver el pequeño lago.

Si el muchacho y los avestruces están cerca, lo más probable es que estén cerca del agua. Podríamos construir un escondite y desde ese lugar filmar.

El productor Bob Johnson estaba radiante. Le sonreía a todos. Quería disipar las dudas que le había expresado Sidi Brahim. La historia de Luke O'Connor sobre el muchacho avestruz tenía que ser verdadera.

El muchacho avestruz tenía que existir.

Los jeeps se deslizaban sobre un llano. En un momento Luke señaló el lugar donde creía había fotografiado las huellas del muchacho. Parecía un lugar igual a otro cualquiera; arena, algunos arbustos secos, nada más. Luego condujeron hasta el pequeño lago. Pero en realidad del pequeño lago ya no quedaba nada. Ahora había un pequeño charco, con un poco de agua adentro. En las cercanías no había huellas del muchacho ni de los avestruces.

Luke señaló una pequeña duna y dijo que ahí había colocado la trampa y atrapado al pequeño avestruz.

—Y fue ahí donde vi las huellas por primera vez.

Se bajaron del jeep y empezaron a reconocer el lugar donde había estado emplazada la trampa. Harold Joseph filmaba. El sonidista estaba a su lado con una grabadora y un micrófono esperando para captar algún sonido. Los hombres estaban a medio camino de la cima de la duna cuando vieron algo enorme surgiendo del otro lado de la cresta que se deslizó hacia ellos.

Era una nube muy grande, sus colores iban desde el marrón hasta el dorado y el rosa. El camarógrafo levantó la cámara cuando vio que todo el cielo estaba cubierto de pequeños puntos. Bajó la cámara y captó el momento preciso en que Luke, que iba delante, fue tocado por las primeras langostas.

Su penetrante alarido fue absorbido por el revolotear de millones de alas.

Una gigantesca nube de langostas, tan alta como un edificio de tres pisos, se abrió paso en el desierto. Insectos de muchos colores, largos como el dedo índice y absolutamente voraces. Ellas habían visto el charco de agua, los matorrales y se disponían a aterrizar. Pero en el medio encontraron un obstáculo: los hombres. Las langostas caían pesadamente sobre ellos, se entreveraban en sus cabellos, se metían adentro de su ropa. Ellos trataban de golpearlas, de espantarlas y como desesperados huyeron hacia sus vehículos.

Luke O'Connor, el aventurero y gran cazador, se puso histérico. Tomó una caña y empezó a golpear como enloquecido. Como esto no ayudaba arrojó unas cuantas piedras contra la nube de insectos.

Sólo el camarógrafo estaba rebosante de felicidad. Se mantenía en pie filmando el ataque de las langostas. De tanto en tanto tenía que sacudir alguna langosta de su cámara, pero se quedó ahí hasta que escuchó un ruido que le indicó que la película del casete se había parado.

Helado del miedo corrió hacia uno de los jeeps, mientras langostas grandes y pesadas chocaban con él. Después de haber cerrado la puerta abrió la cámara. La película estaba completamente enrollada, pero él le puso rápidamente otro casete a la cámara y volvió a salir.

Los que estaban en el jeep en cambio estaban inmóviles escuchando cómo las langostas se estrellaban contra los cristales del vehículo produciendo un desagradable ruido. Las langostas muertas formaron una especie de capa color amarillento que cubría los parabrisas impidiendo ver bien hacia el exterior. Apenas podían ver al camarógrafo, que llevaba su trípode y su cámara hacia el charco con agua, parándose sobre langostas que crujían bajo sus botas.

Una parte de la nube de langostas voló hacia el sur, el resto se quedó en los arbustos que rodeaban el charco.

Muy pronto cada rama, cada hoja quedó cubierta de langostas que se agolpaban, que se empujaban, que comían. Se podía escuchar el ruido de sus mandíbulas. El camarógrafo le hizo señas al sonidista para que viniese a captar el ruido, que por cierto era fantástico. Pero el sonidista se quedó en el jeep al igual que los otros.

Los avestruces que intuían que algo iba a pasar no se mudaron esa mañana. Cuando el calor estaba en su punto más alto, irrumpieron las langostas como una niebla gris.

Cuando se acercaban Hadara vio una enorme nube de puntitos. Los avestruces se echaron rápidamente con sus pescuezos extendidos planos en el suelo. Hadara hizo lo mismo. Se acostó boca abajo con la cara hacia la tierra. No sabía qué estaba pasando. Nunca antes había visto una langosta. Pero hizo exactamente lo mismo que hicieron los demás del grupo y sintió cómo una langosta caía pesadamente sobre su espalda.

Cuando miró hacia arriba vio la nube que iba hacia el pequeño lago, adonde ellos irían más tarde para beber.

Sidi Brahim, el musulmán, oraba a media voz, y murmuraba que no había ningún peligro.

—Es el ejército de Allah —dijo—. Se habla de él en el Corán. El profeta Mahoma dijo que cada langosta pone 99 huevos, pero el día que pongan 100 huevos van a comerse el mundo y todo lo que hay en él. Pero este no es el fin del mundo, es sólo una invasión de langostas normal. Sucede a veces.

Ya lo había vivido tres veces en su vida.

Luke O'Connor era el único americano que oraba. Estaba sentado con las manos cruzadas y oraba en voz alta. Luke había crecido en una iglesia evangélica y conocía la Biblia y recordaba la historia de Moisés.

Fue en esa época que Egipto había convertido al pueblo de Israel en su esclavo. Moisés le pidió al Faraón que lo dejara salir con su pueblo de Egipto. Pero el Faraón se negó. Entonces Dios lo castigó enviando plagas a Egipto. El Faraón se siguió negando. La plaga número ocho fue precisamente una invasión de langostas. De repente Luke con voz de predicador repitió las palabras de la Biblia:

—"Y el Señor dejó que el viento del este soplara por encima de todo el país, durante todo el día y toda la noche. Y en la mañana el viento del este trajo consigo a las langostas. Ellas invadieron todo el país y destruyeron todo lo que encontraron a su paso. Eran tantas como jamás se habían visto. Los insectos cubrieron el suelo hasta teñirlo de negro y comieron todo lo que crecía sobre él. Ya no había planta verde en la tierra, ni árboles, ni nada en todo Egipto".

—Cállate, no queremos escuchar más —dijo Bob— de mal humor, que creía que las similitudes con las palabras de la Biblia eran demasiadas.

Por las ventanillas sucias pudo ver al camarógrafo con el trípode al hombro correr hacia ellos. Abrir la puerta y cerrarla fue casi todo a la vez, ya que de esa manera impedían que los insectos entraran en el vehículo. El camarógrafo había filmado el nuevo casete. Estaba encantado y al mismo tiempo enojado con el sonidista.

—¡Sal! —le dijo—. Tienes que ocuparte del sonido. Mis tomas necesitan sonido.

Contra su voluntad el técnico de sonido se ajustó el sombrero, se puso los lentes de sol y salió con la grabadora y el micrófono. Las langostas le golpeaban en la espalda y en los brazos. Venciendo su repulsión grabó el sonido de las langostas que volaban, y se acercó para grabar el ruido que hacían las mandíbulas de las que comían. Mientras él estaba allí, dirigiendo el micrófono hacia unas langostas, todo el grupo de insectos levantó el vuelo y se desplazó hacia el sur.

Lo que quedaba era muy poco; ramas secas, ramas comidas y como decía la Biblia, todo lo verde había desaparecido.

Muy despacio condujeron de vuelta hacia el campamento, conmovidos por todo lo que había pasado. Todos callaban y ninguno tenía ganas de cenar. Todos se dirigieron a sus tiendas, se cambiaron la ropa sucia y se acostaron sin hablar.

A poca distancia de ahí se realizaba una fiesta.

Miles de langostas habían caído en el suelo. Quizás era cansancio, quizás debilidad. Para los avestruces, las cornejas, los cuervos, los buitres y para todas las aves en general, era como caminar en una mesa servida. Todos comieron y comieron. Las cornejas y los cuervos comieron tanto que no podían levantar vuelo. Al final se acurrucaron en la arena; hinchados por tanta comida.

También Hadara festejaba. Le quitaba las patas, las alas y la cabeza a cada langosta que recogía del suelo y luego se la comía. Una tras otra. Finalmente se sintió tan lleno e hinchado como las aves. Y como las aves también se acurrucó en la arena y se durmió.

Catástrofe

La caravana de los tuaregs se dirigía hacia el sur de Marruecos. Sus camellos tenían patas largas y eran blancos como la nieve. Cada animal tenía un amuleto, un *grigi*, alrededor del cuello.

También los hombres llevaban ese amuleto. Pero lo más característico en ellos era su altura, lo recto de su espalda y sus túnicas que eran de color índigo. Su piel también había adquirido el color de sus trajes y por eso eran conocidos como los *hombres azules*. Pero la piel sólo quedaba descubierta a la altura de los ojos. Los tuaregs iban siempre cubiertos de un velo. En su tribu eran los hombres los que usaban velos y no las mujeres. Sólo podían descubrir su cara frente a los más allegados.

La caravana con los hombres azules traía sal de las minas del sur, espadas y joyas de plata que sus propios herreros habían confeccionado. Cuando ellos llegaran a Marruecos trocarían sus mercancías por dátiles, tela color índigo y sandalias de plástico. Luego regresarían a Tamanrasset y a la montaña Ahoggar. Habían viajado durante dos meses por el Sahara.

Los hombres azules llamaban barcos a sus camellos y al desierto su mar. Eran muy hábiles en el arte de navegar guiados por las estrellas. Por eso mismo preferían marchar durante la noche.

Esa noche cuando cabalgaban vieron una fogata que brillaba. Detuvieron la marcha y callaron a sus camellos. Cuatro de los altos hombres avanzaron a hurtadillas hasta llegar a la fogata. Cuando volvieron con el resto del grupo llevaban dos cajas de metal que ataron a los dos camellos que llevaban las provisiones. Continuaron su marcha. Cabalgaron muy rápido y dieron una gran vuelta alrededor del campamento de los forasteros.

Cuando al día siguiente encontraron un jeep abandonado en medio del desierto, detuvieron nuevamente sus camellos y trabajaron febrilmente durante algunas horas.

Desmontaron el parachoques, los espejos de atrás y todo aquello que pudieron destornillar. Sus herreros podrían transformar las distintas partes del auto en espadas o en joyas que podrían vender como auténticas artesanías ⬜ en los mercados de Marruecos o Túnez adonde acuden los turistas.

Cuando la caravana arrancó nuevamente hacia el norte su marcha era mucho más lenta debido a la pesada carga que transportaban.

Hadara se despertó la mañana que siguió a la invasión de langostas pero no se levantó. Tampoco lo hicieron los avestruces. Habían comido tantas langostas que prefirieron reposar un rato más en el lugar que habían elegido para dormir.

Al mismo tiempo despertaba el equipo de filmación que se había acostado al otro lado de la pequeña hondonada donde estaban los avestruces y el muchacho.

Uno a uno iban saliendo los hombres de las tiendas, cansados y desganados después del encontronazo que tuvieron con las langostas el día anterior.

El sonidista fue el que gritó primero.

Había visto que la puerta de uno de los jeeps había quedado abierta y que la caja de metal donde guardaba la grabadora y los micrófonos había desaparecido. Harold Joseph, el camarógrafo, vino corriendo diciendo que la caja de metal donde guardaba el material de filmación ya no estaba.

Sin la película no se podría filmar y sin los micrófonos y la grabadora no se podría obtener sonido.

El productor lloró cuando se percató de lo que había sucedido. Luego dirigió toda su rabia contra Luke O'Connor. Le rompió su camisa y lo acusó de ladrón, borracho y mentiroso. Además, le dijo que había inventado la historia del muchacho avestruz ya que de ser cierta Sidi Brahim y la gente que vive en el desierto la tendrían que conocer.

Cuando la crisis cesó, los saharauis recibieron la orden de levantar el campamento. Sidi Brahim, Alí y Farid trabajaron en silencio y con gran efectividad, y metieron todo en los vehículos para partir.

Todo esto es una catástrofe desde el punto de vista económico, le gritó el productor Bob Johnson a Luke O'Connor que se había sentado al volante del otro jeep. Y todo es tu culpa. No puedo más. Nos vamos a Tindouf y de ahí volvemos a casa. Maldigo el día que te escuché. Ese muchacho avestruz no existe, ¿me oíste? ¡No hay ningún muchacho avestruz!

Bob Johnson dio vuelta a la llave de arranque, puso el pie en el acelerador y como llevado por un demonio, arrancó. Quería salir del lugar lo más pronto posible. El otro jeep lo siguió.

Ninguno de ellos, ni siquiera Sidi Brahim, el detective del desierto, vio un grupo de avestruces y un muchacho que estaban en la pequeña hondonada, y que se pusieron rápidamente de pie cuando los jeeps arrancaron.

—Se van —dijo Hogg—. Ahora sí podremos ir al lago a beber.

Hadara se había recuperado totalmente de la enfermedad. Sus fuerzas habían regresado y se sentía fuerte y feliz. Y lo más importante, podía correr sin sentir que le faltaba la respiración. Extrañaba el pequeño lago. Quería bañarse y lavar su largo cabello en el agua. Y nadar. Más que nada quería nadar, extrañaba hacerlo. Todas las noches antes de dormir intentaba recrear el sentimiento que produce el contacto con el agua tibia, o con el hecho de abrir la boca y tener el agua ahí. Ahora la fantasía de la noche se convertiría en realidad.

Corrieron ansiosamente hacia el pequeño lago. La decepción fue muy grande cuando desde lo alto de una duna comprobaron que el lago había desaparecido. En su lugar había un pequeño charco. Pero los avestruces estaban felices igual. Con sus grandes y desiguales zancadas corrieron hasta el charco. Allí se bañaron y bebieron. El muchacho fue más despacio. Pero cuando se dio cuenta de que el agua todavía estaba tibia y que podía beber y chapucear también allí, no le pareció tan malo el lugar.

En ese lugar había sido atacado por el león y gracias al agua había logrado zafarse de su agresor. En ese lugar fue que vio a los humanos de cerca por primera vez. Como un rayo le surgió el recuerdo del humano matando al león de un garrotazo para luego enterrar sus garras y su cabeza en la tierra. También allí le sucedieron cosas agradables; el encuentro con la gacela Dabi y con el león cachorro, Nana-Buluka. ¿Estarían ellos cerca? No lo creía. De todas maneras hubiese sido divertido. Tenía ganas de jugar nuevamente con el cachorro.

Los avestruces no estaban tan preocupados porque el lago se había encogido. La preocupación de ellos más que nada era todo lo que habían comido y destruido las langostas a su paso.

—Creo que lo mejor será regresar al lugar donde ustedes nacieron —dijo Makoo a los avestruces jóvenes que ya habían crecido bastante. Era un buen lugar.

La vida volvió a la normalidad. Todo lo verde en el oasis se lo habían comido las langostas, pero un poco más adelante, adonde las langostas no habían llegado, quedaban raíces y plantas. Hadara no tenía problemas con la comida. Muy cerca había una manada de gacelas, la manada de Dabi. El muchacho podía mamar de la gacela así como de otras hembras. Todos los días bebía leche de gacela. A veces incluso lograba juntar leche en un cascarón de huevo de avestruz y les daba a los pichones.

Nuevamente Hadara comenzó a salir solo. Pero a la hora en que el sol estaba más alto buscaba al grupo de avestruces y se tiraba con ellos a la sombra de una acacia para dormir un par de horas.

Una mañana Hadara se dio cuenta que Hogg tenía el cuello y las patas color rojo. Estaba de mal humor y Hadara sabía lo que esto significaba. Hogg quería aparearse. Era todo lo que tenía en la cabeza. Iba de un lado para otro, excitado, haciendo ruido y buscando un buen lugar para armar un nido. Solamente en esas oportunidades, cuando estaba en celo, emitía algunos sonidos.

Hadara se mantenía al margen.

Finalmente los avestruces se aparearon. Hadara los miraba desde cierta distancia y se sentía inquieto, emocionado y al mismo tiempo fuera de lugar.

Sabía que no era un avestruz, tampoco tenía ganas de hacer lo que hacían Makoo y Hogg; sin embargo se sentía inquieto.

Cada tres días Hadara y el grupo de avestruces iban al charco para beber agua.

Fue en esa oportunidad que un pastor que estaba con sus cabras los vio.

reso

El pastor corrió hacia los avestruces moviendo los brazos. Hadara y los avestruces lo vieron, y reaccionaron como suelen reaccionar los animales que andan en grupo. Corrieron juntos lo más rápido posible y se alejaron del hombre que movía los brazos.

Cuando por fin alcanzaron el árbol de acacia, se detuvieron. Habían corrido bastante y estaban exhaustos. Y puesto que el calor arreciaba, se acostaron en el lugar de siempre y se durmieron.

Cada tanto se despertaban. Hogg se levantaba entonces con sus ojos escudriñadores y repasaba todo el horizonte para asegurarse que todo estuviese en su lugar. Cuando veía que todo estaba en orden, volvía a dormirse.

Hacia la tarde cuando lo peor del calor había pasado, lentamente comenzaron a moverse en busca de comida. Esa tarde ninguno sentía deseos de bailar. Algo estaba mal. Lo podían sentir en el aire, hasta Hadara lo sentía.

El pastor que había visto un muchacho en medio de una manada de avestruces construyó rápidamente un cerco para sus cabras, con ayuda de ramas secas y espinosas.

Cuando todo estuvo listo, pudo dejar las cabras e irse de cacería. Estaba asombrado de lo que había visto y estaba decidido a capturar al muchacho. Lo primero que hizo fue seguir las huellas del chico y de los avestruces. Cuando llegó junto al árbol de acacia y vio hoyos en la arena, se dio cuenta que en ese lugar habían dormido los avestruces. También vio un sendero ancho hecho por los avestruces. Daba la sensación de que venían todos los días a refugiarse bajo la sombra de este árbol.

Esa noche Makoo se despertó muchas veces. Levantaba el pescuezo, escudriñaba en la noche y escuchaba. Pero no escuchó ni vio nada anormal. Lejos de ahí venía el pastor caminando. La luna llena lo ayudaba a seguir las huellas del grupo hacia el árbol grande y espinoso.

Cuando llegó se trepó al árbol. Se envolvió en una frazada que llevaba para protegerse de la helada de la noche y sujetó con fuerza un cuchillo y una cuerda gruesa. Trató de mantenerse despierto.

El pastor esperó toda la noche y toda la mañana. Las horas pasaban lentamente. El pastor llevaba consigo una cantimplora hecha de un estómago de cabra. Cada tanto tomaba un trago de agua y masticaba un dátil seco. Al mediodía, cuando el sol estaba en lo más alto y el aire resplandecía alrededor del árbol, el pastor vio un hermosísimo lago de agua que vibraba en un lugar donde él sabía que no había lago. El fulgor era tan fuerte que tuvo que entrecerrar los ojos pues le ardían. Cuando los abrió vio a lo lejos unos puntos negros en medio del espejismo. ¿Acaso serían esos puntos también un espejismo?

Con el corazón latiendo con fuerza vio cómo esos puntos negros cada vez se acercaban más y más hasta que podían verse claramente. Del vibrante espejismo salió una manada de avestruces y un muchacho desnudo.

El pastor se acurrucó en el árbol. Sabía que los avestruces tenían una vista excelente, y no sabía si también buen olfato. De todas maneras trató de mantenerse lo más inmóvil posible. Ni siquiera se secaba el sudor que le corría por la nariz y mojaba sus manos.

Los avestruces se movían lentamente por el calor.

También el muchacho.

El pastor pensó que el muchacho de alguna manera se parecía a un avestruz. Se movía como un avestruz. ¿Y si no fuera un ser humano?

Las aves grandes se echaron bajo la sombra del árbol. El muchacho se tiró en la arena, muy cerca de los avestruces. Suspiró y se puso de costado para dormir.

El pastor estaba tan inmóvil como una estatua. Ahora tenía miedo. ¿En qué se había metido? El sudor le caía por las mejillas, le mojaba su gran nariz y le llegaba hasta la barba. Finalmente tuvo que levantar el brazo para secarse las gotas. Puesto que creyó que el movimiento iba a despertar a las aves o al muchacho, lo hizo de una vez.

Saltó del árbol. En su mano tenía una rama espinosa que introdujo en el cabello largo del muchacho. Giró la rama varias veces de manera tal que él no pudiera zafarse.

Hadara se despertó debido a un dolor terrible que sentía en la cabeza. Un hombre estaba sobre él, halándolo del cabello. Hadara intentó desprenderse, pero mientras más lo intentaba, más le dolía la cabeza. Le siseó al hombre. Trató de golpearlo con los brazos y las piernas, se cayó y logró morderlo en la pantorrilla.

Los avestruces ya estaban en pie picoteando al hombre. Pero él ya había logrado atar las manos de Hadara. El hombre le gritó al muchacho y agarró otra vez la rama espinosa. La giró aún más y vio que el muchacho se encogía de dolor.

Ahora el hombre se colocó detrás de Hadara y lo levantó. En una mano sostenía la rama espinosa que estaba enredada en el cabello del muchacho y en la otra un cuchillo. Quería que el muchacho se alejara de los avestruces, cosa a la que el muchacho se negaba.

Entonces el hombre colocó la punta del cuchillo contra la espalda del joven, le pateó sus pies y lo obligó a caminar. Tan pronto como el muchacho quería detenerse, giraba más la rama espinosa y le hundía más el cuchillo en su espalda hasta que un hilo de sangre corrió por la huesuda espalda de Hadara.

Los avestruces los seguían indignados. El pastor llevó a Hadara hasta el charco. Pero ¿qué haría con él? El muchacho se veía muy extraño. Tal vez ni siquiera se tratara de un verdadero ser humano. Tal vez fuera un demonio.

Para su tranquilidad, el pastor vio que había una manada de camellos cerca del charco y un camellero que ya conocía. El camellero era Bubut, un hombre muy conocido en el desierto. Era famoso por su fuerza y porque justamente en ese lugar había matado a un león. Bubut vio al pastor que venía empujando a un muchacho desnudo. El muchacho movía la cabeza y emitía siseos.

Atrás venía un grupo de avestruces. Parecía como que ellos querían liberar al muchacho pero no sabían cómo.

Los avestruces se detuvieron a cien metros de las personas. Se quedaron inmóviles, viendo al muchacho y a los hombres.

—*Allah akbar* —dijo Bubut—. Dios es grande.

—Mira lo que he capturado. Seguramente nunca has visto algo tan raro.

—Es cierto, nunca —contestó el gran Bubut—. Pero yo creo que sé de quién se trata. Mi hermano Daula me contó que una vez hace como diez o doce años llegó a su oración del viernes una mujer llamada Fatma, su esposo se llamaba Mohammed. Habían estado en una tormenta de arena y allí habían perdido a su primogénito. La mamá había dejado al pequeño cerca de un nido de huevos de avestruz; cuando la tormenta pasó no estaba el niño ni los huevos de avestruz. Mi hermano que reza las oraciones de los viernes, le pidió a Dios que lo protegiera. Incluso le pidió a Dios una señal pero esa señal no llegó nunca. Tiene que tratarse de ese niño. Yo puedo llevarlo. Trataré de encontrar a su familia. *Allah akbar*.

—Allah akbar —repitió el pastor y se sintió de repente muy aliviado.

Hadara, que no entendía de qué hablaban los hombres, trató de liberarse. Presa de pánico se golpeaba la cabeza y lanzaba feroces patadas. Cuando el hombre se acercaba, intentaba morderlo.

—Hogg, Makoo, ayúdenme—. Pero por más que les hacía señales llamándolos, sus padres avestruces no acudían a liberarlo.

Los dos hombres le ataron los pies.

A cierta distancia de allí todo el grupo de avestruces pateaba inquieto el suelo. Les tenían miedo a los hombres y no se animaban a avanzar. Se sentían muy infelices.

Hacia la tarde vieron que el hombre grande y negro levantó a Hadara y lo puso en uno de sus camellos. Ató sus manos a la montura y sus pies los ató con una cuerda que atravesaba el vientre del animal.

Cuando la pequeña caravana se puso en marcha los avestruces la siguieron. Dos días los siguieron antes de darse por vencidos.

¡Es mi hijo! ¡Es Hadara!

Para Hadara, de todo lo que había pasado en su vida, era esto lo peor, lo más difícil de contar.

La captura.

La rama espinosa enredada en su largo cabello.

El cuchillo en su espalda.

El hombre que giraba la rama espinosa sobre su cabello para inmovilizarlo y las patadas en sus pies para obligarlo a andar.

De repente reconoció a un humano. Era el hombre que había matado al león con el garrote. Hadara le tenía mucho miedo. Precisamente fue ese hombre de enormes proporciones que le liberó el cabello de la rama espinosa.

Hadara hubiese querido gritar, pero no podía emitir sonido alguno. Solamente lágrimas afloraban. Hadara vio los mechones de pelo que habían quedado en las espinas. Luego pensó en su lucha contra los dos hombres, que había terminado cuando lo subieron y lo amarraron al camello.

La caravana había partido y las lágrimas de Hadara no dejaban de correr. Cada vez que volvía la cabeza veía a su familia avestruz que a distancia lo seguía.

Tenía que liberarse.

Tenía que volver con su familia.

La tercera mañana del viaje a través del desierto vio que su familia ya no estaba.

Ahora estaba completamente solo.

Estos hechos marcaron los límites entre sus dos vidas. La vida de avestruz y la vida como persona.

Estos hechos cambiaron el curso de su vida y no siempre estaba seguro que había sido para mejor.

Durante el resto de su vida no quiso hablar de lo terrible que fueron las primeras semanas, pero no pudo evitar que estas aparecieran en forma de pesadillas.

Todas las noches el hombre grande lo bajaba del camello y lo acostaba en el suelo. Escuchaba ruidos terribles en derredor suyo que no era capaz de descifrar. Tampoco entendía las palabras de las personas. El olor a camello y a personas era tan fuerte que sentía náuseas. Todas las noches el hombre grande desataba sus manos y le acercaba un recipiente con comida. La primera vez que esto pasó Hadara estaba hambriento. Estiró la mano, agarró algo del recipiente y se lo llevó a la boca. Y lo escupió.

—No quiere comer carne seca de camello —dijo el hombre grande—. Mira las muecas que hace.

El mismo hombre le acercó un nuevo recipiente. Había unos pedazos grandes de algo color de arena. Hadara levantó el recipiente y con desconfianza lo olfateó. Olía bastante bien. Con cuidado masticó un pedazo. Estaba bueno. Lo comió todo.

—Pan —dijo el grande—. ¿Puedes decir pan?

Hadara callaba y escudriñaba la oscuridad.

En lo único en que pensaba era en irse.

Cuando el hombre grande le llenó el recipiente de agua, Hadara se la bebió toda. Le pasó el recipiente al hombre y este se lo llenó de nuevo. Tan pronto el recipiente quedaba vacío, él quería más.

—El muchacho bebe agua como camello —dijo el grandote y se carcajeó.

Pero Hadara no sólo quería saciar su sed sino que también quería prepararse para un largo viaje por el desierto.

El grandote se levantó y caminó hacia la oscuridad. Llegó el momento que Hadara había estado esperando. Hadara logró liberarse de la cuerda que sujetaba sus pies. Y corrió. Pero el hombre parecía que lo estaba esperando. Cada vez que Hadara intentaba escaparse el hombre lo agarraba del pelo y lo arrastraba de regreso. Tres veces el muchacho intentó escapar. Tres veces lo retuvo.

Cuántos días viajaron, Hadara nunca lo supo. Le costaba dormirse sin tener encima una suave y caliente ala de avestruz. Finalmente tuvo que hacer como los humanos. Se ponía una frazada, se acurrucaba y se dormía. Contra su voluntad le empezó a gustar el balanceo tranquilo del camello. Le gustaba el penetrante olor de los animales junto con su raro sonido y sabía que había montado en camello antes. El olor del camello y el ritmo del animal hicieron que Hadara extrañara algo, no sabía bien qué. El muchacho sentía un calor muy especial y en su cabeza sonaba una canción. Recordaba también una alfombra roja y el sonido de voces humanas.

El grandote obligó al muchacho a usar pantalones y una camisa muy larga por fuera de los pantalones. Primero trató de arrancarse la ropa, sentía la tela áspera contra el cuerpo y se sentía preso. Pero con las manos y los pies atados no podía quitarse la ropa. El segundo día, sin embargo, ya no le pareció tan desagradable. Incluso recordó con agrado la sensación de tener tela pegada al cuerpo.

¿No habría llevado ropa alguna vez? Pero ¿cómo? ¿Sería eso posible?

A lo lejos se vio un *frig* compuesto por un grupo de carpas, un perro que ladraba y algunas cabras que pastaban. De todas las tiendas salió gente.

¿Están Mohammed Fadel o Fatma aquí? —gritó el hombre grande desde lejos. Hadara no entendía nada. Miraba al grupo de personas que a su vez lo observaban a él. No se parecían al grandote. No eran tan grandes ni negros. Eran más bajos y su piel era color de olivo, como la de él mismo.

El grandote de repente comenzó a hablar:

—¿Perdieron un hijo durante la tormenta de arena? Mi hermano Daula me contó el hecho.

—Sí, es cierto —contestó Mohammed—. Pero hace muchos años.

—Este muchacho que está atado parece que ha vivido entre los avestruces, o quizás entre otros animales. No puede hablar. Es mudo. Pensé que quizás podía tratarse de vuestro hijo...

Mohammed y Fatma estaban juntos, como paralizados. Ellos vieron a un muchacho de ojos salvajes y cabello muy largo que estaba atado a la montura de uno de los camellos.

Bubut hizo que el camello se agachara y comenzó a desatar las cuerdas que le sujetaban los pies al muchacho. Luego le liberó las manos.

Para asegurarse que el muchacho una vez desatado no se escaparía, lo mantuvo agarrado del cabello mientras lo llevaba al pequeño grupo de personas.

Hadara los miraba uno a uno, pero su mirada se detuvo en una mujer que estaba delante de todos y esa palabra que estuvo dando vueltas en su cabeza todos esos años empezó a sonar. Esa palabra que ahora quería salir. *Fatma, Fatma, Fatma,* sonó.

La mujer se aproximó lentamente, estaba envuelta en un velo celeste que cubría su cabello y dejaba al descubierto sus brazos redondos y tostados. Estiró su mano y le abrió un poco más la camisa al muchacho. Inmediatamente comprobó que el lunar que tenía el muchacho en el lado izquierdo del estómago era el mismo que tenía su hijo. Mantuvo la mano en el lunar, él la sentía caliente. Hadara se mantuvo inmóvil y miraba atentamente la mano que estaba sobre su estómago. Observó que la pulsera que llevaba en su muñeca era igual a la pulsera que él había encontrado en el desierto y que había desaparecido durante la noche. Y la palabra *Fatma* nuevamente quería salir. Pero no podía pronunciarla.

—¡Es mi hijo! —gritó la mujer—. ¡Es Hadara! Cuando yo estaba embarazada, tuve un susto y por eso le quedó el lunar. ¡Es él! ¡Es mi hijo! Nadie más tiene un lunar como ése.

La mujer comenzó a llorar y tomó las manos del muchacho. Acariciaba su rostro, lo abrazaba, lloraba y lloraba y volvía a acariciar sus manos. Esta vez Hadara no intentó escapar. A pesar de que todo esto le daba miedo.

La palabra *Fatma* sonaba con más fuerza en su interior. De pronto comprendió que Fatma era la mujer que estaba frente a él acariciándolo.

Algunas de las palabras que pronunció la mujer hicieron que otras mujeres se levantaran para prender fuego y calentar agua. Cuando el agua estuvo caliente les dijo a todos que quería estar a solas con su hijo. Una vez que estuvieron solos lo llevo a una de las tiendas donde había muchos recipientes con agua tibia. Con esa agua lavó el cuerpo del muchacho y con unas tijeras le cortó el cabello, por demás enredado.

Hadara dejaba que todo pasara sin oponer resistencia. Veía su cabello tirado en la arena, se pasó la mano por la cabeza y el cabello no estaba. Movió la cabeza, la sintió liviana. La mujer le hablaba todo el tiempo con un tono muy suave. Luego levantó la voz. Después de un rato entró un hombre con un par de pantalones blancos, impecables y una túnica de color celeste.

Hadara dejó que ella le pusiera los pantalones y le colocara la túnica. Luego la mujer tomó una tela y se la colocó en la cabeza a modo de turbante. Entonces le entró el pánico. La tela parecía que lo asfixiaba. Halaba el traje que le habían puesto. Él no quería ser humano, quería irse. Quería ser avestruz.

Fue la mujer que se llamaba Fatma la que logró finalmente que Hadara se tranquilizara. Cuando lo llevó a
la carpa, el muchacho estaba exhausto. Dentro de la
tienda había una alfombra roja. Hadara la miró atentamente; algo le decía que no era la primera vez que
veía esa alfombra. Sus pies la reconocían y sus ojos
también. La mujer que él relacionaba con el nombre
de Fatma se sentó, le puso la mano sobre el hombro y
la mantuvo ahí hasta que él se durmió.

Hadara se despertó en la tienda y se sintió preso, pero
la mujer estaba a su lado. Acto seguido ella le puso
su mano en el pecho y le dijo: Fatma. Luego puso su
mano en el pecho de él y dijo: Hadara. Ella repitió las
palabras: Fatma. Hadara. Fatma. Hadara. El comprendió que ella quería que él repitiera esas palabras. Pero
no podía hablar.

En lugar de eso trató de enviarle las palabras como
señales, hablarle con el pensamiento, como hacía con
los avestruces, las gacelas y el cachorro de león. Pero
ella no contestó.

No había ningún contacto.

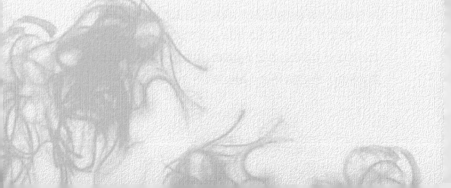

Convertirse en humano

Hadara nunca olvidaría el momento en que se despertó. Una mujer estaba sentada cantando una canción. Tenía un bebé en el pecho. Hadara reconoció la melodía. Algunos recuerdos afloraron a su memoria. En ese instante se convenció que él había estado en los brazos de Fatma de esa manera y que la canción que siempre había tenido en su cabeza, era su canción. Más convencido estuvo cuando Fatma le dijo que esa canción se la cantaba cuando era pequeño.

—Así te cantaba yo:

"Tú eres mi primer hijo.

Tú eres mi único hijo.

Tu nombre es Hadara,

Y me llenas de alegría

Tan grande es mi alegría como el desierto mismo".

Hadara sintió una indescriptible alegría. Era precisamente esa la canción que siempre había llevado en su interior. Y con esa canción se arrullaba antes de dormir cuando estaba con los avestruces.

—Yo soy tu mamá —dijo la mujer—. ¿Puedes decirlo? Intenta decir mamá.

Hadara callaba.

Durante la noche Hadara se sacó la ropa. El hombre que se llamaba Mohammed y que dijo ser su padre le dijo que tenía que ponérsela. Hubo una disputa. Hadara no quería usar ropa, pero Mohammed lo obligó a que se la pusiera.

Esa mañana Mohammed tomó del brazo al muchacho y lo llevó al rebaño de ovejas. Hadara las saludó, las ovejas le contestaron. Entonces pasó algo que hizo que el muchacho sintiera desprecio por el hombre que decía ser su padre. Con un tajo certero le cortó el cuello a una oveja. La sangre del animal formó rápidamente un charco rojo y terrible en la arena. Los ojos de la oveja muerta lo miraban con insistencia. Hadara salió corriendo de allí y se fue a refugiar en la tienda. Se puso el pulgar en la boca como solía hacer cuando algo lo desconsolaba.

Vio a dos mujeres mayores que salían de la tienda. Se arrodillaron y encendieron una fogata. El muchacho vio bailar las lenguas amarillas y recordó el dolor que sintió cuando se quemó. Entonces corrió hacia la fogata y la pisó hasta que se apagó. El hombre que decía ser su padre lo sacó del lugar. Por el tono de su voz parecía estar muy enojado.

—Ahora vamos a festejar que nuestro hijo está nuevamente con nosotros —dijo el hombre más tarde.

Estaban sentados en el piso. Enfrente tenían sendos recipientes. Uno estaba delante de las mujeres, el otro delante de los hombres.

Los recipientes tenían arroz y couscous y también carne asada de oveja. El padre de Hadara lo sentó frente al recipiente para los hombres y le pasó un pedazo de carne. Al muchacho sólo le bastó con el olor para acordarse de la oveja que había visto esa mañana. La oveja que lo saludó. No, no podía comer su carne. Hadara se levantó rápidamente, quería irse de allí. Pero el padre lo sujetó con fuerza e hizo que se sentara nuevamente. Finalmente Hadara comió, pero mantuvo su negativa de comer carne.

Los padres de Hadara estaban preocupados. No era fácil transformar a Hadara de muchacho salvaje en persona civilizada. Lo peor era que no hablaba.

—Yo sé que cuando él era chico podía hablar —dijo Fatma.

—Era capaz de hacer las mismas cosas que hacían los otros niños. Gritaba, por ejemplo. Sin embargo, ahora es más avestruz que ser humano. Para ser un muchacho normal lo primero que tiene que hacer es hablar.

Pero Hadara no hablaba. Ellos hacían intentos para conseguirlo pero no lo lograban. Él no emitía ningún sonido. Salvo cuando se enojaba. Entonces, como los avestruces, siseaba.

Finalmente la familia de Hadara fue a buscar al jeque Maelainin, un anciano profeta, el más sabio de los hombres. Este hombre viajaba por el desierto y en cualquier lugar que estuviera iban los nómadas a consultarlo y a plantearle sus problemas. Este hombre estaba considerado como el más sabio y el más santo de los hombres de todo el oeste del Sahara. Puesto que Hadara se negaba a hablar y por lo tanto se negaba a volverse un ser humano, lo llevaron con el anciano. Los padres de Hadara le entregaron dos camellos. Fueron inmediatamente faenados y las distintas partes se utilizaron para cocinar distintas comidas. La comida era para el jeque y sus acompañantes, pero también para los que llegaban a consultarle.

Mohammed y su señora Fatma entraron a la tienda del sabio con gran recogimiento. Allí le contaron la historia de Hadara, que lo habían perdido durante una tormenta de arena, que vivió con los avestruces y que ahora estaba con ellos pero que se negaba a hablar.

—Traigan al muchacho —fue lo único que les dijo el profeta.

Hadara fue llevado ante el anciano, quien rápidamente se dio cuenta que era muy especial. El hombre tenía una barba muy blanca y larga. Llevaba un turbante y dos túnicas; la de abajo era blanca, la de afuera, celeste. Alrededor del cuello tenía un gran collar.

El hombre estaba sentado con su espalda muy derecha y miraba atentamente a Hadara que estaba parado en el medio de la tienda.

De repente el hombre le sonrió a Hadara y le hizo señas para que se acercara. El muchacho le devolvió la sonrisa y cuando se acercó al anciano, se arrodilló. Ni siquiera sabía por qué lo hacía. El anciano le puso la mano en la cabeza y comenzó a bendecirlo. Luego hizo que el muchacho se levantara y lo abrazó.

A los padres que se mantenían a una distancia prudencial, les dijo:

Tienen que buscar el pozo más profundo del desierto. Cuando lo encuentren tienen que atar una cuerda a los pies del muchacho y bajarlo al pozo.

Los padres no se atrevieron a preguntar más. Estaban confundidos ante las palabras del profeta. Dicho esto tomaron al muchacho y lo sacaron de la tienda. Afuera había una enorme cola de personas que esperaban poder hablar con el anciano.

Esa noche Hadara estaba sentado con los otros que habían consultado al sabio. Las estrellas brillaban y las llamas de las fogatas refulgían en la noche. Cuando la comida estuvo lista, comenzaron los bailes al compás de los tambores y de distintos instrumentos de cuerda llamados *lidinit*. Un hombre con un gran mostacho se paró y se puso a bailar. Cada tanto levantaba su túnica. Una mujer se incorporó y comenzó a bailar frente a él, moviendo mucho las manos.

—Están bailando *ralsa taglidia* —susurró la madre. La *Danza para el Hombre*. Toda la gente aplaudía y las mujeres ululaban. Más personas se iban integrando al baile.

Hadara estaba sentado muy junto a su madre. No le parecía agradable estar sentado con tanta gente. Fatma se levantó y comenzó a bailar. Estiró sus manos llamando a Hadara pero este a pesar de la insistencia de la gente no quiso bailar. Se zafó de los brazos de su madre y con largos pasos de avestruz se alejó del lugar. Zigzagueando entre todos los que estaban sentados observando el baile, se refugió en la sombra de la noche.

Cuando estuvo tan lejos que ya no veía las llamas de las fogatas extendió los brazos y se puso a bailar. Saltó y viró como un remolino, como solía hacer con los avestruces.

El pozo más profundo, había dicho el profeta. Aquí y allá en el desierto había pozos cavados. Y los que cavan son verdaderos profesionales. Es una profesión que se transmite de padres a hijos. Y por cierto es una profesión muy peligrosa. Los cavadores tienen que cavar a mano hasta encontrar el primer nivel de agua. A veces la arena se desmorona y se los traga vivos.

Hadara y su familia se dirigieron a uno de esos pozos. Miraron hacia adentro y vieron las paredes de piedra y el agua que centelleaba en el fondo. Hadara creía que ellos sólo recogerían agua. Por eso entró en pánico cuando su padre y su abuelo lo tomaron, lo tiraron en el piso y le ataron una cuerda alrededor de sus pies.

Sintió que lo pusieron sobre el pozo. Despacio, muy despacio, lo bajaron cabeza abajo en la oscuridad del hondo pozo. Hadara creyó que lo querían matar. La angustia aumentó. Cuando su cabeza chocó con la superficie del agua lanzó un alarido.

Entonces lo subieron.

—¡Escuchen! —dijo su padre rebosante de felicidad—. ¡El muchacho gritó! ¡Utilizó su voz!

Hadara, que todavía estaba muerto de miedo, miraba impresionado a todos las personas que lo observaban y que querían tocarlo.

Su viejo abuelo se arrodilló y le quitó la cuerda que antes le habían colocado. Luego Hadara miró a su madre, abrió la boca y en silencio movió los labios. Acto seguido esa palabra que tenía guardada en su interior, se abrió paso.

Y dijo:

—Fatma.

Una chica con ojos de estrella

Ahora todo sucedió rápidamente. Su madre lo acompañó a recorrer todo el campamento señalando todo que había y diciendo las palabras: mamá, papá, camello, perro, cabra, montura, tienda... las palabras se le quedaban. Quizás cuando era chico las había conocido. Pero no pasó mucho tiempo antes de que él pudiera pronunciar frases enteras. El anciano lo tomó bajo su cuidado. Tenía tiempo y le gustaba hacerlo. Se sentaban juntos en la tienda más grande. El anciano logró revivir en el muchacho todas esas palabras que estaban dormidas y le incorporó muchas más.

Un día cuando el idioma fluía normalmente le preguntó al muchacho si conocía a Dios.

—A él no lo conozco.

—Pero cuando tú vivías en el desierto ¿no sentías que había alguien que velaba por ti?

—Por supuesto —respondió Hadara—. Él se llamaba Hogg y ella Makoo. Ellos velaban por mí.

Para que dejara definitivamente de ser un avestruz y se convirtiera en persona realmente, pasaba todas las mañanas con el anciano. Hablaban mucho y aprendía nuevas palabras. El viejo le contaba sobre su vida. Le contó por ejemplo una vez que se encontró con un chacal y tuvo tanto miedo por sus dientes grandes que a partir de allí tuvo pesadillas con ellos. Luego le contó sobre la tragedia más grande de su vida; su familia había muerto a causa de una epidemia.

—Durante muchos años yo ya no quería vivir. Pero luego eso pasó y formé una nueva familia.

El anciano terminaba siempre contándole un cuento. Eran cuentos de profetas, reyes, demonios, princesas, magos, camellos hechizados, alfombras voladoras y todo eso. Luego Hadara tenía que interpretar los cuentos. De esa manera practicaba el idioma.

Las mañanas con el anciano eran las cosas más lindas que había experimentado como ser humano. Cada día esperaba el cuento del siguiente.

El primer cuento que le tocó contar a Hadara fue muy corto y con muy pocas palabras. El anciano de todas maneras le dijo que él era muy capaz y que cada vez los cuentos serían más largos y más ricos.

Cuando el anciano creyó que Hadara ya dominaba suficientemente el hassanía, tomó el Corán y le dijo que ese libro sagrado estaba escrito en árabe.

—Voy a enseñarte a leerlo. Y también te voy a enseñar a escribir. Pero antes que nada te voy a enseñar algunos versos del Corán.

El anciano leía y Hadara repetía:

—Este es Dios, el Único, Principio de todo, el más poderoso de todos, el que nos protege a todos. El que no ha sido concebido. Al que nadie puede igualar porque es Único.

Hadara no entendía nada. Los versos no estaban en su propio idioma sino que estaban en árabe. Cuando el anciano se lo tradujo Hadara tampoco entendía nada. De todas maneras estaba muy orgulloso de balbucear los primeros versos del Corán.

Las otras cosas de la vida de los humanos eran muy complicadas. La gente lo observaba mucho. Incluso venía gente de otro lado para conocerlo. Los chicos de su edad lo molestaban cuando los adultos no escuchaban. Le tomaban el pelo por su forma de correr y por su forma de moverse. Le decían que parecía un avestruz. Y también le hacían burla cuando Hadara se ponía el dedo en la boca, cosa que Hadara había hecho siempre, especialmente cuando tenía sed. Rápidamente se dio cuenta que los humanos no hacían eso.

Otra de las cosas que aprendió fue a no hablar mucho de su vida con los avestruces.

Una noche, cuando estaba afuera con uno de sus primos en la oscuridad, este le preguntó:

—¿Cuantas estrellas hay en el cielo? ¿Sabes lo que es una estrella?

—Por supuesto. Las estrellas son avestruces muertos —eso era lo que él había aprendido.

—Eres un tonto —le dijo el primo y se rio de él—. Cualquiera sabe que las estrellas son las almas de los muertos.

Todos los días de esta primera etapa eran una lucha. Quería volver con su familia avestruz pero a pesar de todo, no se iba. Lo peor de todo era ver matar a los animales.

¿Por qué lo hacen?, les preguntaba él enojado cada vez. Los animales no les hacen nada. ¿Quisieran que alguien matara a sus hijos?

Se negaba a comer carne. Y a todos les pareció muy raro. Para los nómadas la carne era una de las cosas más preciadas. Cada vez que recibían visitas o que nacía un niño ellos festejaban matando una cabra o un camello. A veces la fiesta duraba varios días.

Al principio todos estaban empecinados en que Hadara comiera carne. Pero él se negaba. Cuando la gente se ponía muy pesada, se levantaba y corría hacia el desierto. Nadie podía correr tan rápido como él.

Cuando estaba contento también se iba al desierto. Allí abría los brazos y bailaba como un avestruz.

Su padre Mohammed, el anciano y todos los que tenían un poco de visión se dieron cuenta de que el muchacho tenía un contacto especial con los animales. Todos los animales lo obedecían: camellos, cabras y perros. Todos hacían lo que él quería. Muy pronto el muchacho aprendió el nombre que daban los humanos a cada pájaro así como sus diferentes cantos. De esa manera se comunicaba con ellos y lo hacía tan bien que ellos le contestaban.

Todo parecía indicar que Hadara iba en camino de convertirse en el hijo mayor de Fatma y Mohammed, es decir en un ser humano. Por lo menos eso parecía. Sin embargo en su interior se preguntaba si en realidad había escogido el camino correcto. No había día que no extrañara el desierto. Algunos días se sentía especialmente melancólico. En esos días extrañaba especialmente a su familia avestruz.

El primer año sus padres lo controlaban ya que pensaban que en cualquier momento se podía escapar. Pero Hadara se quedó. Una vez que Fatma y Mohammed vieron que el muchacho podía hablar tan bien como cualquiera, le dijeron que ya no era necesario que fuera todos los días a ver el anciano. En su lugar se ocuparía del rebaño de camellos. Era un gran honor para él recibir esa responsabilidad y Hadara se sentía orgulloso por la confianza que habían depositado en él.

Al amanecer ordeñaba los camellos, luego los llevaba a dar un paseo y se aseguraba de que ellos comieran. Durante esos paseos Hadara tenía tiempo de soñar. De su vida de humano, lo que más le gustaba era hablar con el anciano, que por otra parte, jamás se burlaba de él. Otra cosa que le gustaba era caminar con los camellos.

Al anochecer cuando Hadara regresaba con los camellos, su padre Mohammed solía decirle:

—Eres hábil cuidando camellos. Ve con Fatma para que te sirva la comida. Yo mientras tanto los voy a ordeñar y luego los ato.

Otra cosa que a Hadara le gustaba mucho era sentarse con su madre y mirarla. Le gustaba casi tanto como le gustaba hacerlo con Makoo, su mamá avestruz.

En la familia de Hadara y en los alrededores se corrió la voz; desde que el muchacho empezó a cuidar a los camellos ningún animal había muerto por causa de un animal salvaje. Todos decían que cuando se acercaba un chacal o un león o un guepardo Hadara no necesitaba tomar una piedra o un arma. Solamente les echaba el brazo a los animales salvajes y los obligaba a irse. Cuando le preguntaban si esto era cierto, Hadara sólo reía.

Esto de que él había corrido a un león y a un guepardo en realidad no era exactamente así. La verdad es que ningún león o guepardo había aparecido. Solamente los chacales habían andado rondando. Y es cierto, sólo necesitó decirles que se fueran para que ellos lo hicieran.

Un día pasó algo que hizo que Hadara quisiera quedarse con los humanos. Esa vez, cuando estaba conduciendo la manada de camellos hacia el este, desde lo alto de una duna pudo ver un grupo de tiendas. Se trataba de una familia totalmente nueva, que había armado sus tiendas allí. No tenía ganas de acercarse a saludar porque sentía que todos lo miraban como a un bicho raro cuando se enteraban de que él era el muchacho que había vivido con los avestruces. Entonces se tiró en la arena para mirar a la nueva familia. De repente vio a una chica muy joven salir de la tienda; estaba envuelta en un tul verde y brillante y se movía con movimientos suaves y armoniosos. Era como si una fuerza especial lo atrajera. Se arrastró de arbusto en arbusto hasta llegar muy cerca de ella.

Y vio sus ojos.

Se quedó lo más que pudo. Sus camellos seguramente se habrían desperdigado y él tenía que mantener la manada junta. Pero desde ese día estaba pendiente de volver. Su sentimiento sólo se podía comparar con el deseo que tenía de volver a ver a los avestruces. Pero este deseo era diferente, un deseo nuevo, un deseo de ver a un humano, una chica. Una chica con ojos de estrella.

Hadara comprendió que estaba sufriendo de eso que el anciano hablaba en sus cuentos; estaba sufriendo de mal de amores. Estaba enamorado de la chica de los ojos de estrella.

Todos los días Hadara conducía a los camellos cerca del campamento de la chica. Y todos los días la observaba desde lo alto de una duna; desde allí podía ver todos sus movimientos. Hadara se había hecho un foso para estar más cómodo, así se acostaba boca abajo junto a la arena muy fina.

El muchacho había logrado averiguar el nombre de la muchacha; se llamaba Kharouba. No podía dejar de repetir ese nombre en voz alta: Kharouba, Kharouba, Kharouba.

Cuando Hadara veía a la muchacha su cuerpo comenzaba a hervir. A veces la veía salir de la tienda para darles sal a las cabras, otras veces salía para ordeñarlas, otras para limpiar alrededor de la tienda; en una oportunidad la vio hornear pan en la arena. Sonrió. Una vez escuchó a su madre decir que una chica que no era capaz de hornear pan en la arena no estaba lista para casarse.

Los días que Hadara no veía a la chica, la imaginaba en la tienda con las otras mujeres y los niños pequeños.

Los días que la veía, llegaba a su casa con una sonrisa misteriosa.

De todos esos días había uno en especial que jamás olvidaría. La vio salir de la tienda con un velo verde y brillante. Hadara pensó que su belleza sólo se podía comparar con la de una flor. Después que la vio, el muchacho sólo quería volver. Pero pasó algo que nunca creyó que pasaría, la chica venía hacia él.

—Allah, misericordioso, te ruego que la dejes venir. No, no, mejor no.

Hadara sudaba y se puso el dedo en la boca como solía hacer cuando tenía mucha sed o mucho miedo. Pero enseguida reaccionó. A los humanos no les parecía bien que un chico de su edad hiciera eso. Bastante se habían burlado sus amigos por eso.

La chica se dirigía directo a la duna donde él estaba echado. Subió la duna y se tiró al lado de Hadara sobre la suave arena, con una sonrisa. Hadara no se atrevía a mirarla, pero finalmente y muy lentamente dio vuelta la cabeza para mirar a la chica con estrellas en los ojos. Y su boca. Y la tela verde y brillante. Ahora que la tenía cerca pensaba que era como una flor. Su cabello estaba iluminado por los rayos del sol, entonces pudo ver que este era suave y negro. También sospechó que le caía a lo largo de la espalda.

Murmuraron los consabidos saludos que intercambiaba la gente del desierto cuando se encontraban.

Luego le preguntó su nombre, cosa que por cierto él conocía perfectamente.

—Kharouba —le respondió—. Y tú eres Hadara. Eso lo sé. Todos hablan de ti.

Hadara quería que el diálogo no terminara. Sólo quería seguir así, acostado boca abajo hablando con ella, sintiendo su proximidad.

Una de las cosas que él se moría por saber era si ella se había dado cuenta de su presencia en la duna, todos los días. ¿Lo habría descubierto?

Pero lo importante era que ella estaba aquí voluntariamente. Y que había venido para verlo. ¿O no?

De repente se angustió porque pensó que ella había venido para decirle que la dejara de perseguir.

Hadara estaba callado. Pero para romper el hielo le preguntó. ¿Estás sola?

—Por supuesto —respondió la muchacha—. Los hombres están fuera y las mujeres han ido a tu campamento para hablar con tu mamá. Me dejaron sola y fue por eso que me atreví a venir.

Nuevamente callaron.

—Todos dicen que te has criado con los avestruces. ¿Es eso cierto?

—Sí —dijo Hadara—, es así.

En realidad quería contarle sobre los años en el desierto, pero no se atrevía. Ella creería, como todos los demás, que era raro.

—Todos dicen que ningún animal te tiene miedo. ¿Es cierto?

—Sí —dijo Hadara.

—Y todos dicen que tú puedes comprender el lenguaje de los animales.

—Es cierto —dijo Hadara, que tan pronto lo dijo se arrepintió. Lo que en realidad quería decirle era que ella le gustaba. Pero no tenía idea de cómo hacerlo.

—¿Qué dicen los animales? —preguntó la chica con un tono un tanto provocador.

—De todo lo que te imagines.

—La muchacha se rio, pero su risa no sonaba hiriente, sonaba agradable.

Ella se levantó, se sacudió la ropa y comenzó a bajar la duna.

A mitad del camino se dio vuelta y le dijo:

—Ven mañana y me cuentas algo de lo que te ha contado un animal.

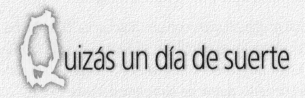uizás un día de suerte

Hadara esperó a la chica durante tres días. El cuarto día llegó y quería bailar como un avestruz. Pero no lo hizo. Ella llevaba esa tela verde que a él tanto le gustaba. Cuando ella se tiró en la arena junto a él, Hadara le dijo:

—Tú quieres escuchar algo que hayan dicho los animales. Pues bien, te voy a contar una historia que unas aves me contaron.

En realidad esto no era cierto. Pensaba contarle uno de los cuentos que el anciano le contó para practicar el idioma, le dijo lo de los pájaros sólo para impresionarla.

La muchacha no sabía que pensar. ¿Realmente podía hablar con los pájaros?

Ella se mantuvo absorta durante todo el tiempo en que él le contó la historia que empezaba así:

"Hace mucho, mucho tiempo, aquí, en esta parte del Sahara, vivía un muchacho. Su nombre era Alí. Su familia, igual que la nuestra, era beduina. Ellos seguían la lluvia, se movían de un lado para otro en el desierto buscando agua y pasto para sus animales.

Una noche Alí soñó con una muchacha. Sus ojos brillaban como las estrellas y su ropa era verde y bella. Pero él no reconocía su traje. Tal vez era de otra parte del desierto, quizás de otra parte del país.

Cuando Alí despertó sintió que estaba profundamente enamorado de ella, de la chica con ojos de estrella con un bonito tul verde. La noche siguiente soñó nuevamente con ella. Y la próxima. Finalmente no pudo soportar más. Así que ensilló un camello y partió. La idea era buscar a la chica del sueño. Alí estaba convencido de que la muchacha del sueño existía en realidad y que estaba en alguna parte. Quizás, en otro país.

Cabalgó durante días, durante meses. El desierto parecía no tener fin.

Un día cuando cabalgaba sobre una parte muy llana del desierto encontró para su sorpresa una mujer anciana, abatida, sentada sobre una piedra.

Alí detuvo su camello y la saludó preguntándole cómo estaba.

—Estoy tan cansada —dijo la anciana.

Alí tomó a la anciana de la mano y la ayudó a subir a su camello. Era tan liviana como un puñado de arena seca.

Alí iba a su lado y conducía el camello.

Cuando él miró a la anciana vio que ella todavía estaba muy cansada.

—¿Cómo se siente? —le preguntó nuevamente.

—Tengo mucha hambre —le dijo la anciana—. Hace una semana que no como.

—No se preocupe —le dijo Alí y sonrió—. Yo tengo algunos dátiles. Acto seguido le entregó sus últimos dátiles que la anciana rápidamente comió.

Pero la anciana todavía se veía cansada.

—¿Cómo se siente? —le preguntó Alí nuevamente.

—Tengo mucha sed —dijo la anciana—. Entonces Alí tomó el bolso de cuero que había atado al camello, lo sacudió y comprobó que todavía le quedaba un poco de agua. Se la alcanzó y la anciana bebió las últimas gotas de agua que le quedaban a Alí.

En un momento pasó algo terrible. La anciana de un salto bajó del camello y se convirtió en un gran *djinn*, uno de los peores, más grandes y peligrosos demonios del desierto.

—Tú eres muy extraño —le dijo el demonio que se alzaba delante del muchacho—. Yo me convertí en una anciana para castigarte. Pero en cambio dejaste que me subiera a tu camello y me diste tus últimos dátiles y tus últimas gotas de agua.

Esas cosas Dios las toma en cuenta, por eso no te puedo castigar. En cambio vas a recibir algo de mí.

Vas a recibir una pulsera mágica. Mientras la tengas podrás convertirte en el animal que quieras. Además, vivirás eternamente. Lo único que no podrás hacer es convertirte nuevamente en humano. También podrás pedir dos deseos. Los que tú quieras. Excepto, claro, convertirte nuevamente en humano.

El demonio le dio la pulsera y en el mismo momento se transformó en un remolino que se perdió en el horizonte; una alta columna de arena girando.

Alí creyó que había soñado. Pero cuando miró su brazo derecho y vio que tenía la pulsera se dio cuenta de que todo lo que había pasado era real.

Alí, el muchacho, siguió cabalgando. Como todas las noches, soñó con la chica de ojos de estrella y un bonito velo verde. Cabalgó por días y por meses.

Esa muchacha existía realmente. Pero no era una muchacha cualquiera. Ella era hija de un rey, su única hija. El Rey creía que nadie era tan inteligente ni tan bonita como su hija. Amaba más a su hija que a su propio reino.

Muchos jóvenes querían casarse con ella. Pero para el padre nadie era suficiente. Por eso la chica permanecía soltera.

El día en que Alí llegó al reino y se enteró de cómo era la princesa, pensó que precisamente ella era la muchacha de sus sueños. Y quería verla. Pero un pobre muchacho en camello no tenía posibilidad de entrar en el palacio del Rey. ¿Cómo lo haría?

Entonces utilizó la pulsera del *djinn* y se convirtió en pájaro. El pájaro voló hasta el jardín del palacio. Fue allí que pudo ver a la princesa, que no era otra que la joven con ojos de estrella que veía en sus sueños. Entonces recordó lo que el demonio le había dicho; una vez que se convirtiera en un animal no podría volver a convertirse en humano nuevamente. 'Pero no me importa'—pensó Alí. Ahora siendo un pájaro puedo verla todos los días.

El muchacho se había convertido en un freha, un pequeño pájaro blanco y negro. Todos los días se posaba en un rosal del jardín del palacio y cantaba para la princesa. A veces se daba cuenta de que la princesa se detenía para escuchar su canto.

Durante ese tiempo el reino estaba sufriendo una terrible sequía. No había llovido en todo el año. Las fuentes estaban secas y no había ninguna gota de agua en lago alguno o en algún manantial.

Las flores comenzaron a marchitarse. Los camellos, las ovejas y las cabras morían y también las personas morían de sed. El Rey estaba desesperado. Por eso llamó a todos los imanes para que le pidieran a Allah que lloviera. Pero la lluvia no llegaba. Citó a los hombres más sabios del reino, pero la lluvia no llegaba. Un día cuando las tumbas rebosaban de cadáveres, llegó un mensajero corriendo a palacio.

El mensajero le dijo al rey que había llegado un extranjero a la ciudad, un mago. Este mago les dijo a todos que había una maldición sobre el reino. Y también les dijo que él podía romper el embrujo.

El Rey llamó al extraño al palacio. El extranjero confirmó que era un mago y que tenía un espejo mágico. Si miraba en el espejo podría saber qué tipo de embrujo pesaba sobre el reino y cómo se podría revertir. El Rey le ordenó que sacara el espejo y mirara en él. El mago tomó el pequeño espejo y se miró en él. Una vez que hizo esto, quedó pálido y no podía expresar palabra alguna. El mago cayó de rodillas frente al Rey y le pidió que le permitiese abandonar el lugar. Tampoco quiso decir lo que vio en el espejo.

El Rey se puso furioso y llamó a uno de sus guardias para que le cortara la cabeza al extranjero.

Cuando el guardia levantó su cimitarra el extraño gritó:

—¡Paren! ¡Deténganse! ¡No lo hagan!

Yo les voy a contar lo que vi en el espejo. Yo vi que ustedes habían castigado a un hombre de Túnez, acusado de robar todo un rebaño de camellos.

—Es cierto —dijo el Rey—. Eso lo recuerdo. Era un ladrón de camellos de la peor especie.

—El espejo dijo que ese hombre era inocente. Y dijo que antes de morir ejecutado maldijo a este reino y a todos sus habitantes. La maldición de ese hombre es la que provocó la sequía en el reino.

—Pero... ¿cómo se puede parar la maldición?

—Yo tengo la respuesta pero antes de que hable tiene que darme su palabra de que no me van a castigar por lo que diga —dijo el extranjero. El Rey se lo prometió.

—Bueno —dijo el extranjero—. Tienes que ofrendar a tu hija. La tienes que abandonar en el bosque para que los animales salvajes se la coman. Cuando ella esté muerta la maldición habrá desaparecido y las lluvias volverán.

El Rey lloró pero comprendió que la única manera de salvar a su gente de la muerte era sacrificando a su hija. Puesto que el Rey prometió soltar al mago, este, una vez liberado, se fue del reino lo más rápido que pudo.

Cuando la gente del pueblo se enteró de que la princesa sería sacrificada también lloró.

A la mañana siguiente muy temprano el Rey tomó a su hija, la llevó al bosque y la ató a un árbol. Ya escuchaba los rugidos, los latidos y gruñidos de los animales salvajes que vivían en el bosque.

Pobre princesa, por más que lloró e imploró su padre no volvió.

Un enorme león se acercó a ella con sus enormes quijadas semiabiertas. Detrás suyo había todo un grupo de hambrientos chacales que castañeteaban sus dientes. Pero de repente una música muy hermosa se escuchó en el bosque. La música era hul, una hermosa música del país de Alí.

Alí, el pájaro, había volado hasta la princesa y vio cómo el león y los chacales se acercaban a la joven. Sabía que todavía tenía dos deseos para pedir. En su desesperación lo único que se le ocurrió fue pedir música. La música parecía venir de las entrañas del bosque. Era una melodía suave y tan increíblemente bella que todos los animales se echaron a escucharla.

Y escucharon.

Y se durmieron.

Entonces Alí, el pájaro, utilizó su último deseo. Y la cuerda que sostenía a la chica se rompió. La princesa se alejó del león y de los chacales. No sabía cómo llegar al palacio. Pero entonces siguió a un pequeño pájaro blanco y negro que la guiaba.

La música seguía sonando, inundaba todo el bosque. Y su poder era tan grande que los animales salvajes que ella encontraba en el bosque en lugar de agredirla, la acariciaban.

La princesa caminó toda la noche. En la mañana llegó al palacio. La música seguía sonando; sólo calló cuando la joven entró al palacio. En ese momento comenzó a llover.

El pájaro se instaló en un árbol que quedaba cerca del cuarto de la princesa. Todos los días cantaba para ella.

La princesa no se casó nunca. Pero un día se convirtió en pájaro. En un pequeño pájaro blanco y negro, un pájaro freha, igual que Alí. Juntos abandonaron el palacio y juntos volaron atravesando todo el país, llegando hasta el desierto. Tuvieron muchos pichones. Incluso hoy se los puede ver y escuchar.

—Fueron los pájaros freha que me contaron esta historia. Ellos siempre andan juntos, de a dos. Algunos los llaman los pájaros de la felicidad. Y si uno los escucha cantar temprano en la mañana, ya puede saber que tendrá un buen día. Un día feliz. Un día en que el sol no brille mucho, sin tanto viento que produzca tormentas de arena, un día en que sólo pasan cosas lindas.

—Yo lo sé muy bien —dijo Kharouba—. Nosotros jamás salimos con nuestros animales y nuestras tiendas si antes no escuchamos a los pájaros freha.

—Hoy yo escuché a los pájaros freha. Y yo creo que tú tienes los ojos como estrellas. Y tu vestido verde es muy bonito —se apresuró a decir Hadara.

Después de todo lo que había dicho no se animaba a mirar a la muchacha. Tal vez tendría que haberle compuesto un poema, pero no sabía si podía lograrlo. En cambio hizo lo que había hecho siempre con los avestruces, con su dedo índice comenzó a dibujar en la arena. Mientras el dibujo de los avestruces y de los pichones iba tomando forma, murmuró:

—¿Quieres casarte conmigo?

Huellas de avestruces

La muchacha que estaba tendida en la arena junto a
Hadara pensó que él no era como los otros chicos.
Todos decían que era muy raro. A veces se iba al desierto y bailaba como un avestruz. Y a veces se ponía
el dedo en la boca, decían muchos. Y también comía
pequeñas piedras y pequeños pedazos de vidrio. Y a
veces cuando veía una fogata, se enojaba mucho y
trataba de apagarla. Pero él despertaba su curiosidad.
Y además a ella le gustaba mucho el brillo de sus ojos
y su sonrisa ancha y franca.

—Tú dices que puedes hablar con los animales y
que ningún animal te tiene miedo. Por eso no pienso
pedirle treinta camellos a tu familia como suele pedir
una joven de dote. No, yo lo que quiero es una gacela—. La chica sabía que las gacelas eran los animales
más huidizos de todo el desierto.

—Quiero que me traigas una gacela para mí. Pero
no puede estar muerta. Y tampoco la puedes haber
cazado por medio de una trampa. Tampoco puede
tener lastimadura alguna en el cuerpo. Si logras traer

una gacela que te acompañe voluntariamente, me caso contigo.

La petición de la chica se expandió entre todos los saudíes del lugar. La mayoría creía que en realidad la chica no se quería casar con el muchacho avestruz y eso de la gacela era sólo un pretexto para no casarse.

Ninguna persona puede cazar una gacela sin usar una trampa. Ni siquiera Hadara lo podría hacer, todos conocían bien que las gacelas eran asustadizas.

El único que no dudaba era el propio Hadara. Es más, al otro día partió rumbo al desierto. No llevaba camello. Andaba como solía andar cuando estaba con los avestruces. Tenía un poco de agua y un poco de pan. Se sentía feliz de estar en la inmensidad del desierto. Aumentó la velocidad, corría. Levantaba las piernas como un avestruz. Esto no lo hacía cuando había personas ya que los jóvenes se reían de él.

En un momento pensó quedarse en el desierto pero la nostalgia por la chica ojos de estrella era muy grande.

Tres días después regreso del desierto. Al lado suyo iba una gacela que trotaba con pasitos muy cortos.

Era una vieja amiga, la gacela Dabi. Hadara tenía la mano suavemente sobre la cabeza de la gacela para que ella no fuera a sentir temor.

La gacela fue directo hacia la chica y se puso frente a ella.

Durante años se habló del casamiento de Hadara. De todas partes llegaron a verlo. Todos querían conocer al muchacho que había vivido con los avestruces. El casamiento duró siete días y siete noches.

El mismo año la joven esposa de Hadara dio a luz su primer hijo, un varón.

A pesar de todo Hadara no era totalmente feliz. Muchas noches su esposa lo veía mirar fijamente en la oscuridad y a veces lo escuchaba murmurar:

—Makoo, Hogg, Akuku.

Extrañaba a su familia avestruz.

Cuando Kharouba le preguntaba cómo estaba, le contestaba que estaba triste porque nunca pudo despedirse como él quería de su familia avestruz.

Finalmente Kharouba le dijo:

—Yo veo que no eres feliz. Lo único que puede curarte es que vayas al desierto a buscar a los avestruces y te despidas de ellos.

Y así fue. El día que partió estaba feliz y contento, a pesar de que no lo quería demostrar demasiado. No llevó ningún camello. Se fue a pie. Solamente iba a buscar a su familia de avestruces para despedirse.

Pasaron siete años antes de que Hadara volviera.

Lo que pasó durante esos siete años no se lo contó a nadie, ni siquiera a su mujer Kharouba. Pero lo cierto es que cuando volvió del desierto parecía más satisfecho de ser un humano y vivió con su familia el resto de su vida.

Sólo un momento en el día se comportaba como avestruz. Y lo hizo el resto de su vida. A veces corría hacia el desierto, a veces bailaba como ellos. Hadara siguió siendo vegetariano. Comía arroz, pan y couscous, pero también hojas de árboles y arbustos y raíces que desenterraba. Además se comía los melones amarguísimos, los lahoag que por cierto ningún otro ser humano podía comer.

Hadara amaba a los avestruces. Nadie podía decir algo en su contra si él estaba cerca porque entonces se enojaba mucho. Algunas costumbres las retuvo del tiempo que vivió con los avestruces, como comer pequeñas piedras y pequeños trozos de vidrio, porque eso hacen los avestruces, explicaba. Hadara tampoco permitía que se matara a los avestruces o se tomaran sus huevos. Se consideraba que los huevos de avestruz sabían bien y además eran buenos para ciertas enfermedades, pero si Hadara estaba cerca nadie se atrevía a tocarlos. No había nadie que amara tanto a los animales como el muchacho avestruz.

Hadara y Kharouba, la muchacha con ojos de estrella, tuvieron cinco hijos; tres niños y dos niñas. Los muchachos aprendieron de su padre a correr en el desierto y bailar el baile de los avestruces. También aprendieron de él a comer determinadas hojas y plantas que normalmente los humanos no comen. Muy a menudo escuchaban a su padre hablar de los avestruces. "En un avestruz se puede confiar siempre", les decía. Un avestruz no te traiciona nunca. Los avestruces fueron mis padres y ellos me querían tanto que yo fui su hijo adorado.

A veces llegaban extranjeros para preguntar acerca del hombre que vivió con los avestruces. Entonces iba al desierto y se escondía. Y los saudíes se negaban a contestar preguntas. Tan sólo decían:

—¿Un muchacho que vivió con los avestruces? ¡Qué raro! No. Nunca oímos hablar de tal cosa...

Con el tiempo Hadara empezó a ser considerado como un hombre sabio y religioso. Muchos llegaban para escucharlo o pedir su consejo.

Cuando se enfermó y se dio cuenta de que iba a morir, reunió a su familia y le dijo:

—Cuando yo me muera no quiero que me lleven a ningún cementerio. Quiero que me dejen en el lugar donde muera. De esa manera nunca voy a estar solo.

La esposa de Hadara y sus hijos pensaron que era un pedido raro. De todas maneras cumplieron su voluntad. Lo enterraron en el medio del desierto. Y le pusieron pesadas piedras sobre su tumba. Luego la familia siguió su eterna búsqueda de agua y pastura para sus animales. Pero todas las veces que ellos pasaban por allí se detenían junto a la tumba de Hadara.

Y en su tumba siempre había huellas de avestruces.

Epílogo

Encuentro con el hijo de Hadara

En 1993 visité el Sahara en compañía del camarógrafo Kim Naylor. Íbamos a escribir varios artículos para la revista *Globen* acerca de la hospitalidad y la vida del desierto. Se decía que no había nadie más hospitalario que los beduinos del Sahara. Y es cierto.

Anduvimos en un jeep. Tan pronto veíamos alguna tienda, la gente nos hacía señas para que nos detuviéramos. Cuando bajábamos del jeep inmediatamente nos hacían pasar a la tienda más bonita de todas y nos convidaban con tres vasos de té. Luego alguien, normalmente el más anciano, contaba un cuento. Un cuento bien contado era el primer regalo para los huéspedes.

Lo mismo pasó en los campamentos de refugiados del Sahara Occidental, en las afueras de Tindouf, en Argelia.

Tres veces escuché la historia de un muchacho que vivió entre los avestruces. "El muchacho se llamaba Hadara y esta es una historia verdadera", concluían siempre.

Sinceramente yo no creía que la historia fuera verdadera, pero lo cierto es que era buena. Por eso la publiqué en un periódico como un ejemplo del arte narrativo del desierto.

Cuando el artículo se publicó, dos hombres del Sahara Occidental me invitaron a almorzar en Estocolmo. Me agradecieron por los artículos que había escrito y me dijeron:

—Nos pareció muy simpático que escribieras sobre Hadara. ¿Te encontraste con su hijo?

Nunca en mi vida me sentí tan estupefacta. Los dos hombres, muy seriamente, me aseguraron que se trataba de una historia verdadera. Hadara había muerto pero uno de sus hijos vivía en Argelia.

Además uno de los hombres comenzó a bailar la danza de los avestruces. El hombre estaba muy bien vestido y su corbata volaba mientras él bailaba. Me aseguró que era el propio Hadara quien había enseñado la danza de los avestruces y que ahora todos los saharauis la podían bailar.

Desde entonces, esta historia me ha dado vueltas en la cabeza. De varias maneras traté de confirmar si la historia era verdadera y si Hadara tenía un hijo que vivía en Argelia. Los dos hombres que me habían dado esa información ya no estaban en Suecia. Traté de contactarlos por medio de cartas y fax, pero no lo logré. Finalmente conseguí el teléfono de uno de ellos, que en ese momento se encontraba en la India. Lo llamé. Me atendió inmediatamente y una vez más lo confirmó: la historia es verdadera. Y era cierto que tenía un hijo, pero no sabía cómo se llamaba ni exactamente dónde vivía. Creía que vivía en uno de los grandes campos de refugiados del Frente Polisario en Argelia.

Ya no pude resistir. En el otoño del año 2000 viajé a Argelia con la firme intención de averiguar si había un atisbo de verdad en esta historia del muchacho que había vivido con los avestruces.

Comencé en los campos de refugiados. Marruecos ocupó el Sahara Occidental en 1975 y la mayor parte de la población era nómada. Mataron a sus camellos y a sus cabras, como también a gente, y los que sobrevivieron escaparon a Argelia. Desde entonces han vivido en cuatro gigantescos campamentos de refugiados en la mitad del desierto, esperando por un plebiscito. Esperan que ese plebiscito conduzca a la libertad de su país, para poder regresar a casa.

Todos habían escuchado la historia de Hadara, el muchacho que creció entre los avestruces. Finalmente me confirmaron que su hijo vivía entre los 165.000 refugiados que había en los campamentos. Pero no estaba allí. Conducía un camión cisterna con agua por el desierto. Lo esperé. Finalmente apareció. Tomé una grabadora y fui a su tienda en compañía de un traductor.

Tan pronto estuvimos en su tienda, me senté en la alfombra y tomé los tres consabidos vasos con té, el hijo de Hadara comenzó a contarme la historia de su padre: el muchacho que vivía con los avestruces.

—Yo estoy muy orgulloso de mi padre –dijo Ahmedu Hadara, después de haberme contado historias durante horas. Él nos enseñó a mí y a mis hermanas a amar a los animales. Recuerdo que una vez cuando era chico vi cómo unas personas atraparon un avestruz. Lloré tanto que lo dejaron en libertad. Lamentablemente no tengo ninguna fotografía de mi papá. No se dejaba fotografiar. Cuando algún extranjero lo quería conocer, él corría al desierto y se escondía. Entre los saharauis la historia de mi padre es muy conocida, y yo mismo la he contado miles de veces, entre otros, a mis propios hijos. Pero es la primera vez que se la cuento a un extranjero.

Ahmedu Hadara acostumbra visitar la tumba de su padre en el desierto.

—Pero ahora no hay huellas de avestruz sobre su tumba, sólo de camello. Hay que tener en cuenta que ahora en el Sahara los avestruces están prácticamente extinguidos.

Este libro lo he escrito partiendo de todos los detalles que me dio el hijo de Hadara, el resto me lo he inventado yo. Al camellero Daula lo conocí en 1993. Murió poco después de nuestro encuentro. Era un anciano muy sabio, muy conocido por sus oraciones de los viernes y por su contacto especial con Dios.

Si él realmente conoció a Fatma, la madre de Hadara, no lo sé. De todas maneras en el libro le permití conocerla. A su hermano Bubut, el que mató al león, no lo conocí. Ya había muerto en 1993. Es su hija Aichetu la que me contó la historia del león.

Por su parte, el viejo detector de huellas y detective del desierto Sidi Brahim está vivo, aunque en la realidad se llama Sidi Mohammed. Él me contó sobre los 136 casos que resolvió durante su vida y sobre su extraña capacidad de ver en su mente a la persona o al animal que ha dejado sus huellas en la arena. Su encuentro con Hadara es una fantasía mía. Pero el hijo de Hadara me contó que todos los saharauis eran leales y protegían a Hadara de los extranjeros que querían encontrar al muchacho que había vivido con los avestruces.

Quiero agradecer especialmente al hijo de Hadara, Ahmedu Hadara, y a su familia. Asimismo quiero darles las gracias a tres personas que me han ayudado mucho en este trabajo: a mi excepcional guía Ahmed Fadel, quien tradujo todas las largas conversaciones que mantuve con la gente durante mi visita a los campamentos del Frente Polisario y en nuestro viaje a las zonas liberadas del Sahara Occidental; al imán Ahmed Ghanem, en Estocolmo, que me ayudó con las oraciones musulmanas que aparecen en el libro, y al granjero de avestruces Gunnar Sahlin, en Borlänge, Suecia, que me ha enseñado la mayor parte de lo que ahora sé sobre los avestruces.

Finalmente quiero agradecer a todos mis amigos en los campamentos de refugiados del Sahara Occidental, que me han dado tanto amor, tantos vasos de té y tantos cuentos inolvidables.

Glosario

agazapar: esconderse u ocultarse encogiendo el cuerpo.

arrear: dar prisa, estimular.

arreciar: volverse algo más recio, fuerte o violento.

babiana: plantas herbáceas, perennes y bulbosas perteneciente a la familia de las iridáceas. El género incluye aproximadamente 80 especies originarias de Sudáfrica.

bártulos: enseres, trastos.

beduino: árabes nómadas que viven en los desiertos del norte de África y Oriente medio, o relativo a ellos.

bichar: espiar a una persona.

blasfemar: maldecir, vituperar.

bramido: grito o voz fuerte y confusa del hombre cuando está colérico y furioso.

carnear: matar y descuartizar las reses para aprovechar su carne.

cavilar: pensar en algo o sobre algo con insistencia y preocupación.

ceñuda: que arruga el ceño.

chacal: mamífero carnívoro cánido, de tamaño medio entre el lobo y la zorra. Come animales pequeños o carroña y vive en Asia y África.

cimitarra: especie de sable de hoja curva y con un solo filo que se va ensanchando a partir de la empuñadura.

compungir: entristecerse o dolerse uno de alguna culpa propia, o del padecimiento ajeno.

corneja: aves parecidas al cuervo, de plumaje negro y muy brillante en el cuello y dorso. Vive en el oeste y sur de Europa y en algunas regiones de Asia.

cuscús: plato tradicional de Marruecos hecho a base de sémola de trigo.

dátil: fruto comestible de la palmera datilera, alargado, de carne blanquecina muy dulce y hueso muy duro.

decímetro: décima parte de un metro.

desandar: retroceder, volver atrás en el camino ya andado.

desollar: quitar la piel del cuerpo de una persona o un animal, o de alguno de sus miembros.

desperdigar: separar, desunir, disgregar.

empecinado: obstinado, terco, pertinaz.

encumbrar: Ensalzar, engrandecer a alguien con honores y cargos elevados.

enlentecer: disminuir la velocidad de un proceso, actividad u operación.

ensillar: Colocar la silla de montar a una caballería.

entreverar: mezclar, introducir una cosa entre otras.

espejismo: ilusión óptica o apariencia engañosa de algo. Sucede principalmente en las llanuras de los desiertos.

exhortar: inducir a uno con palabras, razones y ruegos a que haga o deje de hacer alguna cosa.

fauces: parte posterior de la boca de los mamíferos, que va desde el velo del paladar hasta el comienzo del esófago.

fruición: gozo, placer intenso.

fulgor: resplandor y brillantez.

garganta: 1. paso estrecho entre montañas. 2. Parte delantera del cuello.

gélido: helado, muy frío.

graznido: grito de algunas aves, como el cuervo, el ganso, etc.

herrería: taller o tienda del herrero.

hirsuto: pelo áspero, duro y disperso.

hondonada: espacio de terreno hondo.

horda: comunidad de salvajes que actúan con violencia.

horquilla: palo terminado en uno de sus extremos por dos puntas, con forma de Y.

indolente: 1. flojo, perezoso. 2. Que no se afecta o conmueve.

manantial: nacimiento de las aguas.

máxime: en primer lugar, principalmente, sobre todo.

nómada: que se desplaza de un sitio a otro, sin residencia permanente.

oasis: sitio con vegetación y a veces con manantiales, que se encuentra aislado en los desiertos arenosos de África y Asia.

pescuezo: parte del cuerpo animal o humano desde la nuca hasta el tronco.

primogénito: hijo que nace en primer lugar.

quedamente: en voz baja o queda.

rebenque: látigo recio de jinete.

rebosar: estar invadido por un sentimiento o estado de ánimo de tal intensidad que se manifiesta externamente.

recular: retroceder.

renguear: andar con dificultad, cojear, renquear.

saharaui: son habitantes autóctonos del Sahara Occidental.

sendos: indica que los elementos a los que se refiere corresponden uno para cada una de las personas o cosas que se mencionaron.

sisear: pronunciar repetidamente el sonido inarticulado de s y ch para manifestar desaprobación o para hacer callar a alguien.

sopesar: levantar algo para tantear el peso que tiene.

súbito: improvisto, repentino.

subrepticio: que se hace o toma ocultamente y a escondidas.

tara: defecto físico o psíquico de carácter hereditario.

tórrido: muy ardiente y caluroso.

tranco: paso largo o salto que se da abriendo mucho las piernas.

trastabillar: tambalear, vacilar, titubear.

trocar: cambiar una cosa por otra.

tuareg: pueblo nómada norteafricano que habita en el desierto de Sahara o relativo a él. Plural: tuaregs.

tul: tejido transparente de seda, algodón o hilo, que forma una pequeña malla.

ufano: satisfecho, alegre.

vadear: atravesar un río por un vado o por una zona que se puede cruzar a pie.

wadi: curso de agua intermitente que se desliza por barrancos o valles, generalmente secos.

Este libro se terminó de imprimir
en los talleres de Gare de Creación, en enero de 2013,
ilusionados de traer a los lectores centroamericanos
esta historia de comunión entre los seres vivos.